CW00402688

L'affaire Courilof

Du même auteur aux Éditions Grasset :

Les Mouches d'automne
Le Bal
David Golder

IRÈNE
NÉMIROVSKY

L'affaire Courilof

roman

Bernard Grasset
Paris

ISBN 978-2-246-22573-7
ISSN 0756-7170

Tous droits de traductions, de reproduction et d'adaptation
réservés pour tous pays.

© *Éditions Grasset & Fasquelle, 1933.*

Irène Némirovsky / L'Affaire Courilof

Irène Némirovsky est née à Kiev le 11 février 1903. Elle est élevée par une institutrice française et sa mère ne lui parle que français. Lorsque éclate la révolution bolchevique d'octobre 1917, le père d'Irène, un grand banquier, voit sa tête mise à prix. La famille Némirovsky se cache à Moscou, dans un petit appartement jadis loué à un officier qui y a laissé sa bibliothèque. Pendant les bombardements, Irène, qui n'a guère plus de quatorze ans, lit A rebours *de Huysmans, les nouvelles de Maupassant,* le Portrait de Dorian Gray *de Wilde, qui restera tout au long de sa vie son livre favori.*

Les Némirovsky parviennent à gagner la Finlande, puis la Suède. Après une année passée à Stockholm, ils s'embarquent pour la France, où son père rétablit sa fortune.

Tout en poursuivant à Paris ses études de lettres, Irène Némirovsky écrit des dialogues et des contes sous un faux nom. Elle les envoie à des journaux et des revues qui les publient. David Golder, *son premier roman, qui paraît chez Bernard Grasset en 1929, est salué par la critique comme un chef-d'œuvre.* Le Bal, *court roman écrit d'un trait entre deux chapitres de* David Golder, *n'est pas moins chaleureusement accueilli : Paul Reboux, qui avait été l'un des premiers à attirer l'attention sur la jeune Colette, reconnaît, chez Irène Némirovsky, un talent tout aussi exceptionnel.*

Dans les années trente, Irène Némirovsky publie successivement neuf romans, dont les Mouches d'automne, *et un recueil de nouvelles.*

Pendant la guerre, les lois raciales la contraignent à quitter Paris avec sa famille et à se réfugier en Saône-et-Loire. C'est là qu'elle écrira les Feux de l'automne *(1948), publié posthumement, comme le seront* la Vie de Tchekhov *(1946) et* les Biens de ce monde *(1947). Son arrestation par les nazis survient pendant qu'elle est en train de rédiger* Suite française, *finalement publié en 2004 et couronné par le prix Renaudot. Irène Némirovsky est déportée à Auschwitz, où elle meurt en 1942. Son mari la suit trois mois plus tard.*

Léon M... a reçu l'ordre de « liquider » l'affaire Courilof. En d'autres termes, le Comité révolutionnaire lui a confié la mission d'exécuter Valerian Alexandrovitch Courilof, ministre de l'Instruction Publique du tsar Nicolas II. Mais pour accomplir ses basses œuvres, ce bolchevique de vingt-deux ans devra patienter neuf longs mois : ses chefs comptent donner à cet assassinat un retentissement sans précédent et attendront la visite de l'Empereur de Prusse. Ainsi, grâce à un habile stratagème, Léon M... se métamorphose en Marcel Legrand, médecin suisse, et entre au service du ministre. Courilof est atteint d'un cancer du foie qui le fait atrocement souffrir. Son futur bourreau – paradoxe s'il en est – le soigne, l'écoute et comprend que le ministre est loin d'être le « cachalot féroce et vorace » qu'on lui a décrit. Très vite, la haine laisse place à la compassion. Le terroriste aura-t-il la force d'aller jusqu'au bout de son acte ? Rongé par ses états d'âme, aura-t-il le cran de lancer la bombe ? Les années ont passé. Retraité à Nice, dans son journal, Léon M... se souvient.

On ne peut s'empêcher, à la lecture de l'Affaire Courilof, *de songer aux* Justes. *Mais là où Camus explore les affres de la casuistique, Irène Némirovsky excelle – aidée par un style d'une admirable simplicité – à la description d'un monde qui s'éteint. Celui de la Russie tsariste de 1903 où, des édifices de Kiev à la teinte de sang aux bâtisses de Saint-Pétersbourg inondées par la pluie qui s'abat en éclats d'argent, l'on complote et où les intrigants et les mouchards le disputent en bassesses.*

Inutile alors de chercher une quelconque trace d'espoir dans ce roman atypique, peinture nihiliste et vitriolée d'une petite société qui s'agite comme autant de dérisoires moustiques. « Chaque petit insecte humain songeait à lui seul, à sa vie menacée d'insecte, haïssait et méprisait les autres, et c'était juste... » écrit la romancière. Sans doute tournons-nous en rond comme des mouches d'automne ; *peut-être même notre existence ne repose-t-elle que sur un douloureux* malentendu, *semble nous susurrer Némirovsky. Jamais encore entomologiste ne s'était montré aussi lucide et désespéré.*

Léon M... a reçu l'ordre de « liquider » l'affaire Courilof. En d'autres termes, le Comité révolutionnaire lui a confié la mission d'exécuter Valerian Alexandrovitch Courilof, ministre de l'Instruction Publique du tsar Nicolas II. Mais pour accomplir ses basses œuvres, ce bolchevique de vingt-deux ans devra patienter neuf longs mois : ses chefs comptent donner à cet assassinat un retentissement sans précédent et attendront la visite de l'Empereur de Prusse. Ainsi, grâce à un habile stratagème, Léon M... se métamorphose en Marcel Legrand, médecin suisse, et entre au service du ministre. Courilof est atteint d'un cancer du foie qui le fait atrocement souffrir. Son futur bourreau – paradoxe s'il en est – le soigne, l'écoute et comprend que le ministre est loin d'être le « cachalot féroce et vorace » qu'on lui a décrit. Très vite, la haine laisse place à la compassion. Le terroriste aura-t-il la force d'aller jusqu'au bout de son acte ? Rongé par ses états d'âme, aura-t-il le cran de lancer la bombe ? Les années ont passé. Retraité à Nice, dans son journal, Léon M... se souvient.

On ne peut s'empêcher, à la lecture de l'Affaire Courilof, *de songer aux* Justes. *Mais là où Camus explore les affres de la casuistique, Irène Némirovsky excelle – aidée par un style d'une admirable simplicité – à la description d'un monde qui s'éteint. Celui de la Russie tsariste de 1903 où, des édifices de Kiev à la teinte de sang aux bâtisses de Saint-Pétersbourg inondées par la pluie qui s'abat en éclats d'argent, l'on complote et où les intrigants et les mouchards le disputent en bassesses.*

Inutile alors de chercher une quelconque trace d'espoir dans ce roman atypique, peinture nihiliste et vitriolée d'une petite société qui s'agite comme autant de dérisoires moustiques. « Chaque petit insecte humain songeait à lui seul, à sa vie menacée d'insecte, haïssait et méprisait les autres, et c'était juste... » écrit la romancière. Sans doute tournons-nous en rond comme des mouches d'automne ; *peut-être même notre existence ne repose-t-elle que sur un douloureux* malentendu, *semble nous susurrer Némirovsky. Jamais encore entomologiste ne s'était montré aussi lucide et désespéré.*

POUR MICHEL.

I. N.

A la terrasse déserte d'un café de Nice, deux hommes étaient venus s'asseoir, attirés par la flamme d'un petit brasero rouge.

C'était un crépuscule d'automne qui paraissait froid pour cette partie du monde. « Un ciel de Paris... » dit une femme en passant, en montrant les nuages jaunes chassés par le vent. Au bout de peu d'instants, la pluie se mit à tomber, assombrissant davantage la rue vide, où les lumières ne brillaient pas encore; des gouttes traversèrent par places la toile gorgée d'eau, tendue au-dessus du café.

Les deux hommes, – Léon M... et celui qui l'avait suivi, qui était entré derrière lui et qui le regardait, depuis, à la dérobée, semblant faire un effort de mémoire pour le reconnaître, se penchèrent tous les deux, du même mouvement, vers le brasero allumé.

De l'intérieur du café venait un bruit confus de voix, d'appels; le choc des boules de billard, des plateaux contre le bois des tables, des pièces remuées sur les échiquiers, couvrait, par moments, l'aigre fanfare incertaine d'un petit orchestre.

Léon M... leva la tête, enroula plus étroitement lc cache-nez de laine grise qui encerclait son cou; l'homme assis en face de lui, dit à mi-voix :

« Marcel Legrand ? »

Au même instant, les globes électriques s'allumèrent le long de la rue, aux devantures et aux terrasses des cafés. Surpris par la brusque clarté, Léon M... détourna un instant les yeux.

L'homme répéta :

« Marcel Legrand ? »

Les ampoules électriques, traversées, sans doute, par un courant trop fort, s'obscurcirent; la lumière vacilla une seconde, comme la flamme d'une bougie laissée à l'air libre; puis elle parut se ranimer, elle éclaira avec violence le visage de Léon M..., ses épaules courbées, ses mains osseuses, aux poignets fragiles.

— Vous étiez chargé de l'affaire Courilof, en 1903 ?

— En 1903 ? répéta lentement M...

Il inclina la tête de côté, sifflota légèrement, avec l'expression lasse et ironique d'un vieil oiseau frileux.

L'homme, assis en face de lui, avait soixante-cinq ans, une figure grise et fatiguée; un tic nerveux tiraillait sa lèvre supérieure, soulevait par saccades la grosse moustache, jadis jaune, qui avait blanchi, qui découvrait une bouche pâle, à la grimace inquiète et amère. Ses yeux vifs, au regard pénétrant et soupçonneux, s'allumaient rapidement et se détournaient presque aussitôt.

M... finit par dire, en haussant les épaules :

— Rien à faire. Je ne vous reconnais pas. J'ai une mauvaise mémoire, à présent...

— Vous ne vous rappelez pas le policier chargé, autrefois, de garder Courilof ? Celui qui vous a filé, une nuit, au Caucase ?...

— Sans succès. Je me rappelle maintenant, dit M...

Il frotta avec douceur l'une contre l'autre ses mains que la chaleur engourdissait. C'était un homme d'une cinquantaine d'années, qui paraissait plus vieux et malade. Il avait la poitrine étroite, un sombre visage ironique, une bouche bizarre et belle, de mauvaises dents cassées, le front barré d'une mèche blanchissante. Ses yeux, profondément enfoncés, brillaient d'une sombre flamme.

Il murmura :

— Cigarette ?

« Vous habitez Nice, Monsieur Legrand ? »

— Oui.

— Retiré des affaires, si je puis me permettre l'expression ?

— Vous pouvez...

M... respira, sans la fumer, la cigarette allumée, la regarda se consumer entre ses doigts et la jeta à terre, l'écrasa longuement du talon.

— Il y a longtemps, dit-il enfin, avec un imperceptible sourire, bien longtemps que tout cela s'est passé...

— Oui... C'est moi qui ai été chargé de l'enquête à votre sujet, après votre arrestation, après l'attentat...

— Ah, oui ? murmura M... avec indifférence.

— Je n'ai jamais pu apprendre votre véritable nom. Pas un de nos agents provocateurs ne vous connaissait, pas plus en Russie qu'à l'étranger. Faites-moi plaisir, maintenant que cela n'a plus d'importance ! Dites-moi, vous étiez bien un des chefs de l'organisation terroriste, en Suisse, avant 1905 ?

— Je n'ai jamais été un des chefs terroristes, seulement un sous-ordre.

— Bah ?

M... inclina la tête, avec un petit sourire fatigué.

— C'est ainsi, mon cher Monsieur...

— Dites donc, et après ?... 1917, et la suite ?... Je ne me trompe pas, vous étiez bien ?...

Il parut chercher un terme qui répondît à sa pensée ; il

sourit enfin, découvrant ses dents acérées, longues, qui brillaient entre les lèvres pâles.

— Dans la marmite, dit-il, dessinant dans l'air, de ses deux mains, la forme d'un chaudron ; je veux dire... à la surface ?...

— Oui... A la surface...

— La Tchéka ?

— Cher Monsieur, j'ai fait un peu de tout. Par ces temps difficiles, chacun mettait la main à la pâte.

Il tapota le marbre de la table, de ses fins doigts recourbés, en cadence.

— Vous ne voulez pas me dire votre nom ? fit l'homme en riant. Je vous jure que je suis, moi aussi, un paisible rentier, à présent. C'est une simple curiosité qui me pousse, le pli professionnel, en quelque sorte.

M... releva doucement, du geste frileux qui lui était familier, le col de son pardessus et tira des deux mains l'extrémité de son écharpe.

— Je ne vous crois pas, dit-il avec un petit rire altéré par la toux : on revient toujours à ses premières amours... Et, d'ailleurs, mon nom ne vous apprendrait plus rien, à présent... Tout le monde l'a oublié depuis longtemps.

— Vous êtes marié ?

— Non, je maintiens de vieilles et saines traditions révolutionnaires, dit M. Il sourit de nouveau ; il avait un petit sourire machinal, qui creusait profondément les coins affaissés des lèvres. Il prit entre deux doigts une bouchée de brioche, la mangea avec lenteur, dit en haussant les sourcils :

— Et vous-même ? Quel est votre nom, cher Monsieur ?

— Oh moi... aucun mystère... Baranof... Ivan Ivanitch... J'ai été attaché à la personne de Son Excellence... de Courilof, pendant dix ans.

— Ah, oui ?

Pour la première fois, le petit sourire fatigué de M... s'effaça ; il cessa de regarder, ainsi qu'il l'avait fait jusque-là, les mannequins de cire, violemment éclairés, qui peuplaient seuls la rue vide, noyée de pluie. Il toussota légèrement, leva vers Baranof son grand œil creux :

— Et sa famille ? Savez-vous ce qu'elle est devenue ?

— Sa femme a été fusillée pendant la Révolution. Les enfants doivent être encore vivants. Pauvre Courilof... Vous vous souvenez ? On l'appelait le Cachalot.

— Féroce et vorace, dit M...

Il émietta les restes de sa brioche entre ses doigts, fit un mouvement pour se lever, mais la pluie tombait sans s'arrêter, rejaillissant du pavé en étincelles brillantes. Il se rassit lourdement.

— Vous ne l'avez pas raté, dit Baranof. Combien avez-vous eu de pièces au tableau, en tout, pour votre part ?

— En ce temps-là ? Ou depuis ?

— En tout, répéta Baranof.

M... haussa les épaules :

« Ma foi, vous me rappelez un garçon qui est venu, un jour, en Russie, me demander pour un journal américain, que ces raffinements de statistique intéressent, combien d'hommes j'avais fait tuer depuis que j'étais au pouvoir ? Comme j'hésitais, « est-il possible ? » me demanda cet innocent, « est-il possible que cela vous soit sorti de la mémoire ? » C'était un petit Juif rose, du nom de Blumentahl, de la *Chicago Tribune*.

Il appela d'un signe le chasseur qui traversait la ter rasse :

— Arrête-moi ce fiacre.

La voiture vint se ranger devant le café.

Il se leva, tendit la main à Baranof.

— Comique de se revoir ainsi...

— Excessivement comique...

M... rit brusquement, dit en russe :

— Et... en fait... combien sont morts ?... « par nos prières » ?... Par nos soins ?...

— Peuh ! dit Baranof, en haussant les épaules. Pour moi, du moins, service commandé. Je m'en fous.

— C'est assez juste, fit M... d'une voix indifférente et lasse. Il ouvrit avec soin son gros parapluie noir, alluma une cigarette à la flamme du brasero. La vive lueur éclaira brusquement son visage incliné, aux pommettes creuses, couleur de terre, et ses grands yeux sombres et soucieux. Ainsi qu'il le faisait d'ordinaire, il ne fuma pas sa cigarette, se contenta d'aspirer le parfum de la fumée un instant, les yeux à demi clos, puis la jeta. Il toucha du doigt son chapeau et partit.

Léon M... mourut en mars 1932 dans la maison de Nice, où il avait passé ses dernières années.

Parmi ses livres on trouva une petite serviette de cuir noir ; elle contenait quelques dizaines de pages dactylographiées épinglées ensemble. La première portait au crayon ces mots :

AFFAIRE COURILOF

I

Nice, 1931.

En 1903, le Comité révolutionnaire me chargea de *liquider* l'affaire Courilof. C'était le terme dont on se servait à l'époque... Cet événement n'a été lié au reste de ma vie que d'une manière épisodique, mais, au seuil d'une autobiographie, il s'impose à mon souvenir, il forme le début de ma vie révolutionnaire, quoique j'aie changé de camp par la suite.

Entre cette date et la prise du pouvoir, quatorze ans se sont écoulés, moitié en prison, moitié en exil. La révolution d'octobre a passé ensuite (*Sturm und Drang Periode...*) et un nouvel exil.

J'ai vécu cinquante années, vite enfuies, je ne peux pas me plaindre du sort à ce sujet... Mais la fin en paraît longue... la fin traîne en longueur.

Je suis né en 81, le 12 mars, dans un petit village perdu de Sibérie, au bord de la Léna, d'un père et d'une mère tous deux déportés politiques, dont les noms, connus en leur temps, sont oubliés aujourd'hui : Victoria Saltykof et le terroriste M..., Maxime Davidovitch M...

J'ai peu connu mon père : le bagne, l'exil, ne contribuent pas à créer l'intimité de la famille. C'était un homme de haute taille, aux yeux étroits et éclatants, aux sombres paupières, avec de grandes mains osseuses, aux poignets fragiles... Il parlait peu ; il avait un petit rire cinglant et triste. Quand on vint l'arrêter pour la dernière fois, j'étais un enfant encore. Il m'embrassa, me regarda avec une sorte d'étonnement ironique, eut un petit pli fatigué des lèvres qui pouvait passer pour un sourire, sortit de la chambre, revint prendre ses cigarettes qu'il avait oubliées et disparut à jamais de ma vie. Il est mort en prison, à l'âge que je viens d'atteindre, dans une cellule de la forteresse Pierre-et-Paul, où l'eau de la Néva avait pénétré pendant les inondations d'automne.

Après son arrestation j'allai habiter Genève avec ma mère. Je me souviens mieux d'elle, qui est morte en 1891, au printemps. Une créature fine et chétive, de pâles bandeaux, un pince-nez... Le type de l'intellectuelle des années 80... Je me souviens d'elle encore en Sibérie, sur le chemin du retour, quand elle fut libérée. J'avais six ans. Mon frère venait de naître.

Elle le tenait entre ses bras, mais écarté de sa poitrine, avec une maladresse étonnante, comme si elle l'eût présenté aux pierres du chemin ; elle écoutait en frémissant son cri affamé. Quand elle le changeait, je revois le tremblement de ses mains, qui s'embarrassaient dans les langes et les épingles. Elle avait de belles mains faibles et longues. A seize ans, elle avait tué, d'un coup de pistolet à bout portant, le chef des gendarmes de Viatka, qui martyrisait devant elle une vieille femme, détenue politique, la forçant à marcher, malade, sous le soleil de Russie, qui, au cœur de l'été, tue comme une massue.

Elle me le dit elle-même, mais avant que j'eusse l'âge de bien la comprendre, comme si elle se fût hâtée...

Je me souviens du sentiment étrange avec lequel

j'écoutai ce récit. Je me souviens de sa voix, sonore et aiguë, différente du ton patient et lassé que je connaissais :

— Je m'attendais à être exécutée. Je considérais ma mort comme une suprême protestation contre un monde de larmes et de sang.

Elle s'arrêta un instant, dit plus bas :

— Tu comprends bien, Logna ?

Son visage et ses gestes demeuraient froids et calmes ; ses joues seules s'étaient enflammées légèrement. Elle n'attendit pas ma réponse. Mon frère criait. Elle se leva en soupirant, le prit dans ses bras, le garda un instant entre ses mains, comme un lourd paquet, puis nous laissa, recommença à chiffrer ses lettres.

A Genève, elle était chargée d'un des comités terroristes de Suisse, celui-là même qui, à sa mort, me fit soigner et élever.

Nous vivions de subsides du parti, de leçons d'anglais et d'italien qu'elle donnait ; les vêtements d'hiver étaient portés au Mont-de-Piété quand venait le printemps ; les vêtements d'été à l'automne... Enfin, le tableau habituel.

Elle était très grande et maigre, fanée à trente ans, comme une vieille femme, les épaules voûtées écrasant sa fragile poitrine. Elle était atteinte de tuberculose pulmonaire, le poumon droit absolument détruit ; mais elle disait :

— Comment me soigner quand de pauvres ouvrières crachent le sang dans les fabriques ? (Car les révolutionnaires de cette génération s'exprimaient ainsi...)

Elle ne nous envoyait même pas vivre ailleurs : les enfants des ouvrières n'étaient-ils pas contaminés par leurs mères malades ?

Pourtant, je me souviens qu'elle ne nous embrassait jamais. D'ailleurs, nous étions des enfants moroses et froids, moi, du moins... Parfois, seulement, quand elle était très fatiguée, elle étendait la main et la passait une seule fois dans nos cheveux, lentement, en soupirant.

Sa longue et pâle figure, ses dents jaunes, ses yeux las qui clignotaient derrière le lorgnon, et ses fines mains maladroites qui laissaient échapper les objets ménagers, qui ne savaient ni coudre ni cuisiner, mais toujours écrivaient, chiffraient des lettres, maquillaient des passeports... Je pensais avoir oublié ses traits (tant d'années ont passé depuis), mais voici qu'ils commencent à se reformer dans ma mémoire.

Deux ou trois nuits par mois, elle traversait le lac Léman avec des ballots de brochures et d'explosifs, de Suisse en France. Elle me prenait avec elle, soit pour m'aguerrir à la vie de dangers qui devait être la mienne plus tard, par une sorte de « tradition dynastique révolutionnaire », ou pour inspirer, par mon jeune âge, confiance aux douaniers, peut-être parce que, mes deux frères étant morts, elle ne voulait pas me laisser seul à l'hôtel ; ainsi, les mères bourgeoises prennent leur enfant avec elles, au cinéma. Je m'endormais sur le pont. C'était l'hiver, ordinairement ; le lac était désert, couvert de brouillards épais, les nuits froides. En France, ma mère me laissait pendant quelques heures, chez des fermiers, les Baud, qui habitaient une maison au bord du lac. Ils avaient six ou sept enfants ; je me rappelle une troupe de petits paysans aux joues rouges, bien portants, bien stupides. Je buvais du café brûlant. Je mangeais le pain chaud et les châtaignes. La maison des Baud, avec ses feux, le café parfumé, les cris des enfants, était, à mes yeux, le paradis sur la terre. Ils possédaient une terrasse, une sorte de grand balcon de bois incliné vers le lac et, l'hiver, couvert de neige et de verglas craquant...

J'avais eu deux frères plus jeunes, qui étaient morts, qui avaient vécu quelque temps comme moi, seuls, dans une chambre d'hôtel. Ils moururent, l'un à deux ans, l'autre à trois.

Je me rappelle particulièrement bien la nuit où mourut le deuxième, qui était un joli enfant, blond et fort.

Ma mère était debout, au pied du lit, un vieux lit en bois noir. Elle tenait à la main une bougie allumée et elle regardait l'enfant qui mourait. J'étais assis à terre à côté d'elle, et je voyais son visage harassé, éclairé de bas en haut par la flamme. L'enfant eut une ou deux petites convulsions, tourna la tête avec une expression étonnée et lasse, et mourut. Ma mère ne bougeait pas ; la main seule qui abritait la lumière tremblait visiblement. Enfin, elle m'aperçut, voulut parler (sans doute : « Logna, la mort est un phénomène naturel... »), mais ses lèvres se contractèrent mélancoliquement, et elle ne dit rien. Elle arrangea l'enfant mort sur son oreiller, me prit par la main et me mena chez une voisine. Je me souviens : le silence, la nuit, et son visage pâle, avec la camisole blanche et les longs cheveux blonds, épars – tout cela était pareil à un rêve confus. Peu de temps après, elle-même mourait.

J'avais dix ans. J'avais hérité d'elle le germe de la tuberculose pulmonaire. Le Comité révolutionnaire me mit en pension chez le docteur Schwann. Naturalisé suisse, d'origine russe, il était un des chefs du parti. Il possédait à Monts, près de Sierre, un sanatorium de vingt lits et, là, je vécus.

Monts est un village sinistre entre Montana et Sierre, écrasé de sapins noirs, de sombres montagnes, ou peut-être me paraissait-il ainsi...

Des années entières, j'ai vécu cloué sur une chaise longue, sur un balcon, ne voyant du monde que les cimes des sapins et, de l'autre côté du lac, une cage de verre pareille à la nôtre, qui reflétait les rayons du soleil couchant.

Plus tard, j'ai pu sortir, descendre au village, croiser sur l'unique chemin praticable les poitrinaires enveloppés de châles, monter, comme eux, en soufflant, en m'arrêtant à chaque pas, compter un à un, comme eux, les sapins de la route, contempler avec haine le cercle de montagnes qui fermait de toutes parts l'horizon. Après tant d'années, je les revois encore, comme je sens encore l'odeur du sanatorium, – désinfectant et linoléum frais, – comme j'entends, en rêve, le bruit du fœhn, du vent sec d'automne, dans la forêt.

J'appris les langues et la médecine, pour laquelle je nourrissais un goût particulier, auprès du docteur Schwann. Dès que j'allai mieux, on me chargea de différents travaux pour les Comités révolutionnaires de Suisse et de France.

J'appartenais au parti par ma naissance même...

II

J'ai commencé à écrire ces notes, en prévision d'une éventuelle autobiographie. Le temps est long. Il faut occuper la fin de sa vie d'une manière ou d'une autre. Mais voici que, déjà, je m'arrête. « Une formation révolutionnaire est délicate à expliquer d'une manière sincère et édifiante à la fois », comme le disait ce brave Herz, je me souviens... Et ma légende, « la légende Léon M... », a sa place dans l'iconographie d'octobre, qu'il convient sans doute de laisser intacte. Fils d'exilés, nourri exclusivement de propos, de lectures, d'exemples révolutionnaires, je manquais pourtant de flamme et de force.

Mes compagnons, quand ils habitaient Genève, je les écoutais parler de leur jeunesse avec un sentiment d'envie. Je me rappelle un garçon de trente ans, qui avait à son actif quatorze attentats terroristes, dont quatre réussis, quatre meurtres accomplis avec un sauvage sang-froid, en pleine rue. Il était pâle, roux, avec de petites mains blanches, fines et moites. Il me conta, une nuit de décembre, en revenant du Comité, par les rues tranquilles, glacées de Genève, comment il s'était enfui de la maison à seize ans et comment il avait erré dix-huit jours dans Moscou. Il disait en souriant :

— Ce qui vous manque, c'est d'avoir fait mourir de chagrin votre mère... et d'avoir lu les brochures illégales, comme moi, la nuit, à quinze ans, couché au bord de la rivière, à la lumière des feux, en mai...

Il parlait d'une voix râpeuse et bizarre, par petites phrases essoufflées, rapides, et, parfois, s'arrêtait, disait en soupirant :

— Le bon temps...

Paroles d'or...

Car, plus tard, j'ai connu, moi aussi, l'exil, les prisons, les casemates de Pierre-et-Paul, les petites cellules empuanties par la chaleur de l'été, où nous vivions vingt-cinq et trente détenus, les immenses et sombres salles glacées des geôles de province et ce bastion des condamnés à mort, où il était possible d'entendre, en collant l'oreille, à certains endroits de la muraille, l'écho des chants révolutionnaires dans le quartier des femmes.

Mais je n'appréciais déjà plus à sa valeur ce côté romantique de la révolution.

Une autobiographie ?... Vanité... Il vaut mieux me rappeler certaines choses pour moi seul, comme autrefois, dans les prisons d'Etat, lorsque nous écrivions dans ces cahiers que l'on tolérait, mais qui étaient enlevés et détruits au fur et à mesure qu'ils se remplissaient de récits et de souvenirs.

D'ailleurs, aurais-je eu le temps de finir une autobiographie ? Tant d'événements, tant d'années ont passé... Je sens la mort venir à une lassitude, une indifférence qui ne trompent pas : la polémique, les mouvements du parti, tout ce qui me passionnait, me fatigue. Et mon corps lui-même est fatigué. De plus en plus souvent, j'ai envie de me retourner contre le mur, de fermer les yeux et de m'endormir d'un profond sommeil, le plus doux, le dernier.

III

Ainsi, j'appartenais au parti par ma naissance, mes premières années, la conviction qu'une révolution sociale est inévitable, nécessaire, aussi juste que peuvent l'être les affaires des hommes. L'amour du pouvoir m'attirait autant que le désir d'une certaine chaleur humaine qui me manquait, que je n'ai trouvée que là.

J'aime la masse, les gens. Ici, près de Nice, je vis dans la maison de Lourié. C'est un cube de pierre blanche, au milieu d'un jardin où il ne pousse pas un arbre plus haut qu'un balai, entre deux routes, celle de Monaco et le chemin de la mer; on y respire une poussière et une odeur d'essence qui achèvent de détruire mes vieux poumons. Je vis seul; une vieille femme nettoie le matin les quatre petites pièces vides qui composent la maison, me prépare à manger et s'en va. Mais il reste le bruit de la vie autour de moi, et c'est cela que j'aime, c'est cela qui me plaît, ces gens, ces autos, ces tramways qui passent, les querelles, les cris, les rires des hommes... Des ombres entrevues, des figures inconnues, des paroles... En bas, derrière le jardinet nu, planté de six arbustes flexibles et fragiles, qui seront des pêchers, des amandiers, que sais-je ! il y a une espèce de petit bistrot italien, avec un piano mécanique, des bancs sous une tonnelle. Des ouvriers – italiens, français – viennent boire là.

A la nuit, quand ils commencent à monter la route en lacet, le long de la mer, je sors de la maison, je m'assieds sur le petit mur bas qui sépare le jardin du bistrot, je les écoute, je les regarde.

Je vois la petite place éclairée par des lampions, la lumière blanche jouant sur leurs visages. Ils s'en vont tard. Le reste de la nuit passe plus vite ainsi. Heureusement, car je tousse et je ne m'endors qu'au matin. Et rester là à regarder les fleurs et la mer ? Je hais la nature. Je n'ai été heureux que dans les villes, ces villes sales et laides, les maisons pleines d'humains, et ces rues chaudes d'été où passent des corps fatigués, des visages inconnus. Ce sont ces quelques heures que je veux tuer, quand la solitude et le silence commencent, quand les dernières autos reviennent de Monte-Carlo par la route de la mer. Depuis que je suis plus malade, les souvenirs me submergent. Autrefois, je travaillais. Mais mon travail, maintenant, est fini.

Ainsi, je commençai à dix-huit ans ma vie révolutionnaire ; je fus chargé de plusieurs missions dans le midi de la France ; je vécus quelque temps à Paris, ensuite. En 1903, le Comité m'envoya en Russie. Je devais exécuter le ministre de l'Instruction Publique. Ce fut après cet épisode que je me séparai de la fraction terroriste du parti et me liai avec T... Après l'affaire Courilof, je fus condamné à mort, mais, quelques jours avant l'exécution, l'héritier Alexis naquit et je bénéficiai de l'amnistie accordée. Ma peine fut commuée en celle des travaux forcés à perpétuité. Je ne me souviens pas d'avoir ressenti autre chose, quand j'appris ma grâce, qu'une profonde indifférence. D'ailleurs, j'étais malade, je crachais des verres de sang, et j'étais certain de mourir en route vers la Sibérie. Mais il ne faut pas compter sur la mort plus que sur la vie.

Je vécus, je guéris en Sibérie, au bagne. Quand je m'évadai, la révolution de 1905 était commencée.

De 1905 et des premiers mois de la révolution, lorsque j'étais si fatigué, le soir, que je m'écroulais et m'endormais comme on meurt, je garde un souvenir heureux.

J'accompagnais R... et L... dans les usines, dans les assemblées d'ouvriers. J'ai toujours eu une voix cinglante et désagréable, et la faiblesse de mes poumons m'empêchait de parler haut longtemps. Eux, des heures entières, haranguaient les ouvriers. Je descendais de l'estrade et me mêlais à ceux-ci, commentant ce qui leur semblait obscur, les conseillais, les aidais. Dans la chaleur et la fumée de la salle, leurs pâles visages, leurs yeux étincelants, les cris qui sortaient de leurs bouches ouvertes, leur colère, leur stupidité même, me procuraient une sensation d'euphorie semblable à celle que donne le vin. Et le danger me plaisait. J'aimais ces silences soudains, la respiration contenue, l'expression de panique sur les visages, quand passait dans la rue, sous les fenêtres, le *dvornik* à la solde de la police.

A la nuit noire, ces nuits de Pétersbourg, mouillées, glacées d'automne, les ouvriers s'en allaient un à un. Ils fondaient dans le brouillard comme des ombres, et nous disparaissions après eux et, pour dépister la police, marchions jusqu'au jour dans les rues, jusqu'aux sales petits *traktirs* qui nous abritaient.

Je quittai la Russie pour n'y revenir qu'à la veille de la révolution d'octobre.

Dans mes précédents ouvrages de polémique et d'histoire, j'ai décrit cette période et celle qui suivit.

A partir de 1917, je devins Léon M... le bolchevik. Dans les journaux du monde entier, on dut me représenter avec la casquette sur la tête et le couteau entre les dents. Je fus chargé d'un poste à la Tchéka, où je restai un an. Mais il faut une haine forte et personnelle pour accomplir sans défaillance cette besogne terrible. Moi...

Ce qui est bizarre, c'est que moi, qui ai épargné non seulement des vies innocentes, mais quelques coupables (car, par moments, une certaine indifférence m'envahissait, dont bénéficiaient les prisonniers), je fus plus haï en proportion que certains de mes camarades. Par exemple, que Nostrenko, le matelot hystérique qui exécutait lui-même les condamnés à mort, un extraordinaire cabotin, la figure poudrée et peinte, sa large blouse ouverte sur sa poitrine blanche et lisse comme celle d'une femme. Je le vois encore, un mélange de mauvais acteur, d'ivrogne et de pédéraste. Ou Ladislas, le Polonais bossu, avec sa lèvre écarlate et pendante, tailladée par les marques d'une ancienne blessure.

Je pense que les condamnés se consolaient vaguement en voyant qu'ils avaient affaire à des fous ou à des monstres, tandis que, moi, j'étais un homme ordinaire, un petit homme triste et toussant, à lorgnon, avec un petit nez camus, des mains fines.

Quand la politique des dirigeants changea, je fus exilé. Depuis, je vis, près de Nice, des petits revenus de mes livres, des articles dans les journaux, les revues du parti.

J'ai échoué à Nice parce que je vis ici avec le passeport d'un certain Jacques Lourié, qui mourut du typhus dans les casemates de Pierre-et-Paul, condamné pour conspiration révolutionnaire. C'était un juif de Lettonie, naturalisé Français. Il était sans famille, absolument seul, et possédait une petite villa qui me revenait, pour ainsi dire, de droit. Je trouvai quelque plaisir à risquer la rencontre de voisins et d'amis. Mais tout le monde avait oublié Jacques Lourié. Je vis ici, et j'y mourrai vraisemblablement bientôt.

La maison est petite et inconfortable, et Lourié, qui manquait d'argent, ne l'a pas fait entourer de murs suffisamment hauts pour en dérober la vue.

A gauche, il y a une espèce d'enclos, de terrain à vendre, où des chèvres viennent brouter, parmi des briques et des moellons abandonnés, une herbe odorante et dure. A droite, un autre petit cube de pierre pareil au mien, mais peint en rose, qu'on loue chaque année à des couples différents. La route de Nice à Monte-Carlo passe derrière la maison ; en bas, le viaduc. La mer est loin. La maison est fraîche et claire.

Ainsi je vis, et, par moments, je ne sais plus si cette tranquillité me plaît ou me tue. Parfois, je voudrais encore travailler. A cinq heures, l'heure à laquelle commençait ma journée en Russie, je m'éveille en sursaut ou, si je ne dors pas encore, je ressens une angoisse profonde. Je prends ceci, cela, des livres, des cahiers. J'écris comme maintenant. Il fait beau, le soleil se lève, les roses sentent une odeur délicieuse. Je donnerais tout, et ma vie entière, pour cette salle où nous couchions, quinze et vingt hommes, en 1917, quand nous prîmes le pouvoir. C'était une nuit de brouillard et de neige. On entendait le vent, les détonations, le choc sourd de la Néva qui montait comme tous les automnes. Le téléphone sonnait sans arrêt. Parfois, je songe :

— Si j'étais plus jeune et plus fort, je retournerais en Russie, je recommencerais, et je mourrais heureux et sans pensée... dans une de ces casemates que je connais si bien.

Le pouvoir, l'illusion de peser sur des destinées humaines, intoxique comme la fumée, comme le vin. Quand ils viennent à manquer, on éprouve une souffrance étonnante, un douloureux malaise. A d'autres moments, comme je l'ai dit, je ne ressens plus que de l'indifférence et une sorte de soulagement à rester là et à attendre la mort qui m'envahit de son flot régulier. Je ne souffre pas. Le soir seulement, quand la fièvre monte, un fourmillement pénible agite mon corps, et le bruit monotone du sang me lasse et bourdonne dans mes oreilles. Cela passe au matin. J'allume la lampe, et je reste assis à ma table, devant la fenêtre ouverte, et, quand le soleil est enfin levé, je m'endors.

IV

Le Comité exécutif de Suisse se réunissait une fois l'an pour choisir, sur la liste des dignitaires, des hauts fonctionnaires de l'Empire, renommés pour leur cruauté et leur injustice, ceux qui devaient périr dans l'année. Ma mère avait appartenu à cette organisation qui, de mon temps, se composait d'une vingtaine de membres.

Le ministre de l'Instruction Publique, en 1903, en Russie, était Valerian Alexandrovitch Courilof, universellement détesté. C'était un réactionnaire de l'école de Pobiedonostsef ; il avait une réputation de grande intelligence et de force brutale et glacée Protégé par l'empereur Alexandre III et le prince Nelrode, il n'appartenait pas à la grande noblesse et, comme il arrive souvent, se montrait « plus royaliste que le roi », renchérissait encore sur la haine de la révolution et le mépris du peuple qui caractérisaient les classes dirigeantes du pays.

Il était grand et gros, lent dans ses paroles et ses mouvements ; les étudiants l'avaient surnommé le Cachalot (« féroce et vorace »), car il était cruel, ambitieux et avide d'honneurs. On le redoutait extrêmement.

Les maîtres du parti souhaitaient qu'il fût exécuté

publiquement, de la manière la plus pompeuse possible, afin de frapper davantage l'imagination du peuple. Ainsi, cette exécution présentait des difficultés plus grandes encore qu'à l'ordinaire. En effet, il ne suffisait pas de se fier au hasard pour lancer la bombe ou tirer le coup de revolver, comme on le faisait, plus ou moins, en général, mais il fallait choisir le moment et le lieu. Ce fut le docteur Schwann qui me parla le premier de cet homme. Schwann, quand je le connus, devait être âgé de soixante ans; il était petit, mince, fluet, léger comme une danseuse; ses cheveux mousseux, crépelés, complètement blancs, d'un blanc de lune et de lait, s'envolaient autour de son front. Il avait une petite figure aiguë, une bouche serrée, au pli étroit et cruel, un nez fin, pincé et recourbé comme un bec. Il était fou. Il ne le devint de façon officielle, pour ainsi dire, qu'après mon départ et il mourut interné à Lausanne. Mais, à l'époque dont je parle, il m'inspirait déjà une frayeur et une répulsion instinctives. Il avait un certain génie : il avait été un des premiers à expérimenter le pneumothorax dans la tuberculose pulmonaire. Il aimait également détruire et guérir.

Je le vois encore sur mon balcon, moi, gamin de douze ans, étendu, cousu dans mon sac de fourrure, la lune éclairant les sapins, la neige bleue et épaisse, le petit lac gelé qui scintillait dans l'ombre, et le docteur Schwann, vêtu d'une extraordinaire robe de chambre à ramages rose et bleu tendres, le clair de lune illuminant son auréole de cheveux blancs et me commentant la doctrine terroriste :

— Logna, tu vois un bonhomme comme celui-là, gras, gros, qui crève du sang et de la sueur du peuple... Tu ris. Tu penses : « Attends, vieux, attends... » Il ne te connaît pas. Tu es là, dans l'ombre. Tu fais un mouvement..., comme ceci..., tu lèves la main... Une bombe, tu sais, ce n'est pas grand; on peut la cacher dans un châle, dans un bouquet de fleurs... Phuut !... Parti ! Envolé, le vieux bonhomme, en éclats de chair et d'os...

Il parlait d'une voix chuchotante, entrecoupée d'éclats de rire.

— Et son âme s'envole également..., *animula vagula, blandula...* (Il avait la manie des citations latines, comme le pauvre Courilof...)

Il entrelaçait ses doigts d'une manière bizarre, comme s'il tressait des nattes; son petit nez recourbé, sa bouche pincée, se détachaient, avec une netteté coupante de fer, sur le fond bleuâtre, argenté des sapins, de la neige et de la lune.

Un des chefs du parti, il lui fournissait parfois des sommes considérables, je n'ai jamais pu comprendre comment. Certains croient qu'il avait été également agent provocateur, mais je ne le pense pas.

Ce fut lui qui me mena à la séance du Comité exécutif de 1903. C'était une nuit d'hiver, froide et brillante. Nous allâmes à Lausanne par le petit chemin de fer à crémaillère qui descendait en grinçant le long des champs de glace inclinés, durs et craquants comme du sel. Nous étions seuls dans le wagon, lui, enveloppé dans une houppelande de berger, sa tête nue, comme à l'ordinaire, malgré le froid.

Là, de sa voix chuchotante, il me reparla du Cachalot.

Deux fois, déjà, le Comité avait envoyé des hommes pour tuer le ministre, mais chacun d'eux avait été arrêté et pendu. Le Comité avait reconnu la quasi-impossibilité de faire exécuter l'attentat par des Russes; la police connaissait tous les suspects; si bien camouflés qu'ils fussent, ils ne pouvaient longtemps dissimuler leur véritable identité; leur arrestation compromettait les autres membres du parti et les perdait.

De plus, depuis quelque temps, les attentats terroristes étaient gardés secrets; on en parlait à peine dans la presse étrangère. Celui-ci devait, ainsi que je l'ai dit, être accompli avec éclat sous les yeux du peuple et, autant que possible, des ambassadeurs des gouvernements étrangers, dans un lieu public, au cours d'une cérémonie ou d'une fête, ce qui décuplait la difficulté. Moi, j'étais inconnu, aussi bien de la police que des révolutionnaires de Russie. Je parlais russe, quoique avec un fort accent étranger, ce qui n'était pas un mal; il serait facile, d'autre part, de me faire pénétrer dans le pays avec un passeport suisse.

Je l'écoutais parler, et il m'est difficile, à présent, après tant d'années écoulées, de me rappeler exactement ce que je ressentais. Le Comité avait une réputation de justice; il ne condamnait que les hommes coupables de crimes. Et la conviction que je risquais la mort pour le moins autant que le ministre lui-même était la justification du meurtre et l'absolvait. Enfin, j'avais vingt-deux ans. Je ne ressemblais pas à l'homme que je suis devenu. Je n'avais connu de l'existence qu'un sanatorium et une petite chambre sombre de Montrouge. J'avais hâte, j'avais soif de vivre, et j'aimais déjà cette sensation de tenir dans mes mains, comme un oiseau vivant, le sort d'une créature humaine...

Je ne répondis rien. Je frappai la vitre où des paquets de neige étaient demeurés collés. Je regardai au dehors. Bientôt, nous approchâmes de la plaine; les bois de sapins devenaient plus rares; on voyait briller dans l'obscurité leurs branches chargées de gel, éclairées par les premiers feux des bûcherons.

Enfin, nous arrivâmes à Lausanne, où, cette nuit-là, le Comité se réunissait.

Je connaissais tous les membres du Comité, mais c'était la première fois que je les voyais assemblés. Il y avait là Loudine et sa femme, Roubakof, Brodsky, Dora Eisen, Leonidof, Herz...

La plupart d'entre eux, depuis, sont morts de mort violente.

Quelques-uns, par contre, ont abandonné à temps. Herz vit encore ici, en France. Quand j'allais à Nice, je le rencontrai une fois sur la promenade des Anglais, appuyé au bras de sa femme, tenant en laisse un petit chien blanc frisé ; il semblait vieux et malade, mais tranquille, comme un bon petit bourgeois de France.

Il passa près de moi sans me reconnaître. Sur son ordre, jadis, sont morts le général-gouverneur Rimsky et le ministre Bobrinof.

En 1907, il devait faire sauter le train de l'empereur, mais, par erreur, il fit lancer la bombe sous le train Pétersbourg-Ialta, alors que l'empereur et la famille impériale allaient en sens inverse. Une gaffe qui coûta la vie à une vingtaine d'hommes (je ne compte pas ceux qui avaient jeté la bombe sous ses ordres et qui n'eurent pas le temps de se sauver : ce sont les risques du métier).

La réunion du Comité de 1903 eut lieu dans la chambre de Loudine ; elle dura à peine une heure. Pour dérouter les voisins, des bouteilles de vin avaient été placées sur une table éclairée, en face de la fenêtre. De temps en temps, l'une des deux femmes se levait et allait jouer sur un vieux piano, dans un coin, des airs de valse. On me remit un passeport au nom de Marcel Legrand, né à Genève, docteur en médecine, des diplômes qui justifiaient ma qualité, de l'argent. Puis chacun rentra chez soi, et moi à l'hôtel.

V

Je me rappelle avec une extraordinaire netteté la chambre où je passai cette nuit. Le vieux tapis élimé montrait une sorte de chemin couleur de corde, où je marchai machinalement jusqu'au matin. Une petite glace trouble, au-dessus du lavabo, reflétait les meubles de bois noir, le papier vert des murs et mon visage pâle et inquiet. J'ouvris la fenêtre, je me souviens. Je me forçai à regarder une petite église grise, rayée de neige légère. De place en place, dans la rue déserte, brillaient de tristes lumières. J'éprouvais une fatigue, une tristesse sans nom. Toute mon existence, il m'est arrivé, à la veille d'accomplir une action dont dépendait le sort de mon parti, – je ne parle pas de ma propre vie, qui ne m'a jamais beaucoup intéressé, – d'être envahi par une indifférence mortelle. L'air pur et froid finit par me ranimer. Et, peu à peu, la sourde exaltation que j'avais ressentie dans le train me gagna de nouveau, à la pensée que j'allais quitter ce pays de mort, que j'étais guéri, que la vie de révolutionnaire, avec ses fièvres et ses combats, m'attendait, et tant d'autres choses... Je demeurai dans cet hôtel quelques jours.

Enfin, un matin, le 25 janvier 1903, je reçus l'ordre et

je partis. Je devais me rendre à Kiev, et là, tout d'abord, me faire connaître d'une femme, nommée Fanny Zart, qui me suivrait à Pétersbourg et m'aiderait. Lorsque je quittai Lausanne, il arriva un événement étrange, qui me frappa, et, quoiqu'il fût insignifiant et qu'il n'eût jamais par la suite aucun rapport avec ma propre vie, je ne l'ai pas oublié, et, maintenant encore, je le revois en rêve.

J'avais dû, dans la journée, me rendre à Monts pour une dernière entrevue avec le docteur Schwann, et je revenais à Lausanne par un petit train lent, à l'allure essoufflée, qui s'arrêtait à chaque station. Je devais descendre à Lausanne à minuit.

Nous entrâmes à Vevey vers dix heures du soir. La gare semblait vide, et on entendait le petit grelottement de la sonnette dans un profond silence.

Tout à coup, sur le quai, en face de moi, je vis un homme qui courait au devant du train entrant en gare. Nous marchions lentement; il paraissait vouloir se précipiter sous les roues. Une femme, à côté de moi, poussa un cri aigu. Brusquement, je le vis tourner sur lui-même, former une sorte de cercle, comme certains oiseaux qui descendent en planant, s'abattre à terre, puis se relever, courir de nouveau et retomber de même, – ainsi, deux, trois fois. Enfin, il demeura à terre, le corps secoué de faibles soubresauts.

Le train s'était arrêté; des voyageurs, alertés, sautèrent du wagon, ramassèrent l'homme. Je vis qu'ils se penchaient vers lui, lui posaient des questions, et lui, sans répondre, agitait la main d'un geste de dénégation faible et étonné, puis il se mit à pleurer convulsivement.

Ils l'assirent sur un banc, le regardèrent quelque temps, puis le laissèrent : le train partait. J'emportai avec moi l'image de cet homme, assis, seul, dans la gare déserte, dans la nuit froide de janvier, un gros homme en deuil, avec d'épaisses moustaches noires, un feutre noir, des mains larges, croisées sur les genoux avec une sorte d'abandon désespéré.

Plusieurs fois, par la suite, je me demandai pourquoi cela me fit une impression si forte, mais le fait est que la figure de ce gros homme me poursuivit pendant des années et, dans mes rêves, je voyais ses traits mêlés à ceux du Cachalot, après le meurtre. Ils se ressemblaient un peu.

A Kiev, je trouvai à l'adresse indiquée l'étudiante en médecine, Fanny Zart. C'était une fille de vingt ans, à la taille épaisse, aux cheveux noirs formant sur ses joues deux pattes, comme des favoris, avec un long nez droit, une bouche forte dont la lèvre inférieure pendante donnait au visage une expression d'obstination et de mépris, des yeux comme je n'en ai vu qu'aux femmes du parti (celles de la deuxième génération, rien du regard myope et las de ma mère), d'une dureté, d'une fixité inhumaines.

Elle était la fille d'un horloger d'Odessa et la sœur d'un banquier de Pétersbourg, fort riche, qui payait ses études et la tenait à l'écart. Ainsi, la haine des classes possédantes prenait pour elle la forme concrète d'un petit banquier juif, au ventre rond. Elle était depuis trois ans affiliée au parti.

A Kiev, elle habitait une grande chambre au dernier étage d'une maison d'angle ; de sa fenêtre, on voyait de deux côtés le marché et la place et, traversant celle-ci, une longue rue profonde, terminée par une charmante église dorée. Plus tard, quand nous prîmes Kiev, je me rappelai cette maison ; j'y fis installer les mitrailleuses ; les hommes de Makhno, qui sortaient de l'église et se répandaient sur la place, pillant et tuant, tombaient foudroyés.

Elle me donna le passeport d'un de ses frères : il avait été convenu que le nom de Marcel Legrand n'apparaîtrait qu'à Pétersbourg, afin de couvrir les traces de mon passage le mieux possible.

Le soir même, je m'installai chez elle. J'étais seul presque tout le jour. Elle suivait des cours à l'Université et, à la nuit, rentrait, nous préparait à manger, puis nous parlions ou, plutôt, elle parlait, ressassant les noms des condamnés inscrits sur les listes.

Sur la place gelée, tombait une neige épaisse : on voyait rentrer, deux par deux, les hommes de la police. Kiev était, à cette époque, une petite ville provinciale, sombre et tranquille. Nulle part, je n'ai vu de plus beaux couchers de soleil, éclatants et funèbres.

Le ciel du côté de l'occident devenait brusquement sanglant et embrumé d'une fumée pourpre. Les corneilles innombrables volaient jusqu'à la nuit tombée, nous assourdissant de leurs cris, de leurs battements d'ailes.

De nos fenêtres, on voyait des maisons éclairées, des ombres tranquilles derrière les vitres, la lumière tremblante des lampes à pétrole posées à même le sol, dans les boutiques, et qui répandaient autour d'elles une fumeuse clarté.

Je ne voyais que Fanny ; selon les instructions reçues, je ne devais connaître aucun autre membre du parti. Peut-être, à cette époque, les dirigeants de Genève commençaient-ils à soupçonner la trahison d'A...

Enfin, je quittai Kiev avec Fanny. Nous arrivâmes à Pétersbourg la veille de Pâques.

VI

J'allai dans un garni qu'elle m'avait recommandé ; il était tenu par une Mme Schröder, une femme d'origine allemande, qui avait commencé par gérer une maison de rendez-vous qu'elle avait transformée en hôtel meublé. Elle était à la double solde des révolutionnaires et de la police. Par l'effet d'une tolérance réciproque, ces sortes d'endroits étaient les plus sûrs.

Il y venait des filles publiques en grand nombre ; elles étaient nos informatrices inconscientes et gratuites. Le soir, avant de retourner sur le Nevsky ou dans les cabarets, elles se réunissaient chez la Schöder ; on mettait un carafon de vodka, le thé sur la table, et elles nous livraient, sans même s'en apercevoir, des noms et des adresses mieux que ne l'eussent fait des révolutionnaires professionnels. C'étaient de gentilles créatures, douces et parfaitement misérables. Elles étaient réactionnaires de cœur, comme le sont en général les prostituées, et ne se doutaient pas du rôle qu'on leur faisait jouer dans les deux camps. Du moins, la plupart, car certaines trahissaient sciemment les uns et les autres par intérêt, jalousie ou passion du bavardage.

Le lendemain était le jour de Pâques. Nous avions

décidé de nous rendre, la nuit même de notre arrivée, à la cathédrale Saint-Isaac, où Courilof devait assister à la messe, selon les informations de Fanny. Ainsi, je pourrais connaître le ministre autrement que par ses portraits.

La nuit de Pâques coïncidait, cette année-là, avec la commémoration d'un saint dont j'ai oublié le nom : c'était la raison pour laquelle Courilof ne devait pas suivre la messe, comme à l'ordinaire, dans la chapelle du ministère.

Fanny me le désignerait et disparaîtrait ensuite. Elle était suspectée par la police : son nom se trouvait mêlé à une affaire de typographie clandestine. Pour cela, le parti avait refusé de lui confier l'exécution de l'attentat. Cette femme était d'une intelligence et d'une promptitude extraordinaires, soutenue par une sorte de fièvre nerveuse, de tension perpétuelle, que je n'ai vue, à ce degré, qu'à des femmes et qui leur permettait d'accomplir des miracles d'endurance et d'énergie. Et, tout à coup, elles s'abattaient, finissaient par le suicide ou passaient à l'ennemi, nous vendaient. Beaucoup, d'ailleurs, périrent bravement.

Le soir même, Fanny avait réussi à se procurer de l'argent et une défroque de paysanne pour elle-même.

Nous prîmes avec nous deux grands cierges et les *koulitchs* qu'on faisait bénir à l'église, et partîmes par le chemin le plus long, car Fanny voulait me montrer le palais du ministère où habitait Courilof.

Je regardai Saint-Pétersbourg, qui me paraissait d'une admirable beauté. Pâques tombait extrêmement tard, cette année-là, les nuits étaient déjà claires.

On voyait distinctement les palais rouges, les quais, les sombres maisons de granit. Je m'arrêtai devant le ministère, regardai longuement les colonnes, les balcons de fonte ; les pierres avaient la couleur rouge foncé des édifices d'Etat, une teinte de sang séché. De hautes grilles entouraient un jardin nu encore ; à travers les branches dépouillées, je vis une cour sablée, un large escalier de marbre blanc.

Nous retournâmes vers Saint-Isaac. Les rues étaient remplies de menu peuple qui allait, comme nous, des cierges à la main et des gâteaux enveloppés dans des serviettes blanches. On en vendait sur des tréteaux dressés en plein vent. Des voitures passaient avec lenteur. Nous arrivâmes sur la place, où la foule attendait. Je vis entrer les membres du corps diplomatique, les ministres, de hauts dignitaires, des femmes, puis nous passâmes avec le peuple, nous signant comme eux.

Fanny s'avança jusqu'à un coin reculé de l'église, d'où nous pouvions voir les premiers rangs. L'odeur et la vapeur de l'encens étaient telles que, les tempes battantes, je percevais, comme à travers un nuage, la présence d'une multitude en toilettes de bal, en uniformes étincelants, ornés de cordons et d'étoiles. Les visages, éclairés par la lumière des cierges, paraissaient jaunes, comme ceux des morts, les bouches entourées d'ombres profondes. Le clergé, rutilant, entonnait ses chants et balançait ses encensoirs sur nous. Fanny dit :

— Le troisième de la rangée de gauche, entre deux femmes. L'une, avec un oiseau de paradis sur la tête ; l'autre, jeune, en robe blanche.

Je regardai et vis, à travers l'encens qui s'envolait, un homme de grande taille, gros, les cheveux et les sourcils presque blancs, une barbe fauve, carrée, une expression implacable, hautaine et sévère. Je l'observai longtemps. Il était immobile comme une pierre. Seule, sa main se soulevait lentement et traçait le signe de la croix, mais l'énorme cou, la face large et puissante, ne remuaient pas ; les cils ne frémissaient pas ; ses gros yeux pâles regardaient droit devant eux, fixés sur l'autel.

Fanny, retenant d'une main son mouchoir rouge qu'elle serrait étroitement sous son menton, le dévisageait, les yeux luisants. Une centaine de policiers, les uns en uniforme, d'autres en civil, mais reconnaissables à leur raideur, à leur air de morgue et de brutalité, formaient un cordon qui séparait du peuple ce bloc étincelant de dignitaires et de ministres.

La chaleur devenait si forte que je sentais mes tempes battre, et j'entendais le bruit sourd et désordonné de mon cœur. Nous nous étions agenouillés comme le peuple autour de nous, et les chants semblaient tomber des voûtes magnifiques et s'écraser sur nos têtes.

Je n'apercevais plus Courilof ; j'étais envahi par une sensation de rêve et de fièvre ; machinalement, je touchai, comme les paysans, le pavé du front ; du dallage de marbre, un souffle froid, une odeur humide et glacée, montaient par bouffées.

Enfin, le service finit. Nous sortîmes ; les policiers écartèrent le peuple ; je vis Courilof monter en voiture, soutenu par un laquais au chapeau noir orné d'une cocarde.

Le clergé accomplit trois fois le tour de l'église ; dans la nuit claire de printemps, on voyait onduler mollement les longs rubans des icônes. Trois fois les prêtres passèrent, promenant la croix étincelante, et leurs chants se perdaient dans le lointain.

Nous nous dégageâmes et suivîmes le Nevsky jusqu'à ma maison. Nous tenions à la main, comme les autres, nos cierges allumés ; le parfum de la cire se répandait dans l'air ; elle brûlait d'une haute flamme transparente, droite, car la nuit était extrêmement douce, il n'y avait pas un souffle de vent. « Signe de paix, signe de bonheur », disaient les femmes derrière nous, en protégeant de la main la lumière brillante. Le ciel commençait seulement à s'assombrir au-dessus de nos têtes, mais l'horizon demeurait clair et rose et colorait la surface des canaux d'ombres légères et de mouvants reflets.

Nous passâmes de nouveau devant la grille du ministère ouverte. Des voitures pénétraient à l'intérieur des jardins. On voyait distinctement des femmes en robes de bal aux fenêtres et l'on entendait des sons étouffés de musique. La maison entière était illuminée jusqu'aux combles.

Je ne sais pourquoi, de traîner dans les rues, malade (car l'odeur de l'encens et la chaleur de l'église avaient provoqué en moi une sensation de nausée et de fièvre), j'éprouvais, pour la première fois de ma vie, en me rappelant la face impassible et glacée du ministre, une sorte de haine. Je me sentais le cœur gonflé de fiel.

Fanny semblait avoir une étrange perception de mes sentiments. Elle me regarda, dit sèchement :

— Eh bien ?

Je haussai les épaules, sans rien dire.

Pour la première fois, cette fille, qui était secrète et orgueilleuse, me parla d'elle-même ; elle me raconta sa vie. Nous nous étions assis sur un des bancs creusés dans le granit des quais. Le vent de la Néva, encore pur et chargé d'une odeur de glace, soufflait ; il éteignit nos cierges.

Depuis, j'ai entendu bien d'autres de nos femmes faire le même récit ; toutes ces existences se ressemblaient avec leur orgueil blessé, leur soif de liberté et de vengeance. Mais il y avait quelque chose d'affecté et d'excessif dans sa voix et ses propos qui me gênait et me glaçait. Elle était visiblement émue ; ses yeux cherchaient les miens avec une sorte de bonne volonté, le désir de me toucher, de m'emplir de pitié, d'admiration et d'horreur. Je l'entendais à peine : toute cette nuit était semblable à un cauchemar, et ses paroles se confondaient dans une fantasmagorie de rêve et de fièvre.

VII

Je dépensai un mois à surveiller le palais, en cherchant en vain les moyens d'y pénétrer. Peu à peu, je commençais à éprouver une excitation passionnée ; jour et nuit, je rôdais autour de cette maison, j'interrogeais le menu peuple des fournisseurs, des petits employés du ministère, des boutiquiers bavards dans les rues voisines. Au bout de peu de temps, je connus le côté extérieur de la vie de Courilof, ses habitudes, les heures et les jours auxquels il se rendait chez l'empereur, les noms de ses amis, l'opinion du peuple à son sujet. Féroce, ambitieux, étaient les mots qui revenaient sans cesse. J'appris qu'il avait perdu sa première femme qui avait appartenu à une famille influente, protégée par l'impératrice mère ; cette dernière avait favorisé l'élévation de Courilof ; depuis l'avènement au trône de Nicolas, le protecteur du ministre était le prince Alexandre Alexandrovitch Nelrode.

De son premier mariage, Courilof avait eu un fils et une fille, qui vivaient avec lui ; le garçon, un enfant encore, la fille, en âge d'être mariée. Enfin, depuis plus d'un an, il avait épousé sa maîtresse, une cocotte française, Margot, Marguerite Darcy, ancienne actrice d'opérette, une liaison qui datait de la jeunesse de Courilof.

Un jour, je vis sortir de la maison cette femme et la fille du ministre; je reconnus les deux femmes qui encadraient Courilof à la cathédrale; la fille, petite, d'aspect extrêmement jeune, presque enfantin, brune, pâle, fragile, fort jolie, de larges yeux bleus; la femme... Celle-là était une extraordinaire créature : elle ressemblait à un vieil oiseau de paradis, fané, perdant ses plumes brillantes, mais étincelant encore d'un éclat de bijou faux, de joyau de théâtre. Elle était fardée à l'excès; le soleil de midi faisait ressortir cruellement les taches roses de ses joues, les petites rides fines et profondes de sa peau; le visage avait dû s'empâter avec les années, mais on reconnaissait encore, à la pureté de certains traits, qu'elle avait dû être belle.

Elle passa près de moi, me heurta, ramassa le flot de dentelle de ses jupes, me regarda. Je vis ses yeux à peu de distance des miens, je fus étonné de leur beauté. Noirs, étincelants, bordés de sombres et minces paupières, ils avaient une expression harassée et profonde qui me frappa. Elle me rappelait une vieille prostituée que j'avais connue chez la Schröder, une ruine, mais le même regard profond et las.

Elle gazouilla quelques mots d'excuse avec un fort accent français (sa voix était affectée et désagréable) et elle passa; je la suivis quelque temps; elle avait une démarche ridicule, sautillante, comme en ont les vieilles actrices, qui craignent, en marchant, d'ébranler, de leurs pieds alourdis par l'âge, les planches de la scène.

— Cette femme, me dit Fanny plus tard, a vécu avec lui quatorze ans au su et au vu de tout le monde. Ils organisent dans leur maison des Iles des orgies infâmes.

J'évitais de me trouver là quand sortait le ministre lui-même, craignant d'attirer l'attention des mouchards, qui, surtout aux heures où il se rendait chez l'empereur, semblaient affluer de tous les coins de la ville vers la maison, comme s'ils eussent eu pour but de signaler sa présence à tout le quartier. Je sus plus tard que les ministres en demi-disgrâce étaient surveillés avec cette maladresse provocante ; mais, à l'époque, cela m'étonnait.

Une seule fois, j'aperçus Courilof, et ce fut presque par hasard. J'étais involontairement ramené vers cette maison et ce quartier. Je passais devant sa porte quand je vis, à l'aspect de la rue, qu'il allait sortir ; le suisse et les sergents de ville se tenaient plus droits encore, la figure attentive et sévère. Çà et là, au coin des rues, passaient des policiers en civil. (J'avais appris à les reconnaître : seuls, parmi les autres habitants de Pétersbourg, ils portaient, hiver comme été, des melons noirs et, à la main, de gros parapluies roulés.)

La porte s'ouvrit, et Courilof se dirigea vers sa voiture, suivi d'un secrétaire. Il marchait rapidement et fronçait les sourcils avec une expression maussade et sombre. Je me collai à la muraille et le regardai. Et, si étrange que cela paraisse, il tourna les yeux vers moi, comme l'avait fait sa femme, mais il parut regarder à travers moi, sans me voir. Je pensai, en un éclair, que j'étais la forme vivante qu'avait prise la mort, pour lui, sur cette terre, et aussi – il était si gros, si impassible et si solennel – que j'aurais plaisir à voir voler en « éclats de chair et d'os » toute cette superbe masse couverte de décorations et cet implacable visage. A ce moment, je le haïssais, comme j'avais haï autrefois le docteur Schwann, d'un sentiment presque physique. Je me détournai et il passa, poursuivit son chemin. J'allai m'asseoir dans un petit cabaret où l'on me servit à manger, où je demeurai une partie de la nuit.

Ce fut le lendemain que j'appris par Fanny l'arrestation, sur la plainte du ministre, de soixante étudiants, accusés de menées révolutionnaires. Un des professeurs d'histoire avait refusé de répondre à leurs questions sur la commune de Paris. Ces jeunes gens s'étaient révoltés comme ils pouvaient le faire, c'est-à-dire d'une manière enfantine et stupide, brisant les pupitres et entonnant à pleine voix, pendant le service, à la chapelle, les chants révolutionnaires (pêle-mêle, *L'Internationale* et *La Marseillaise*). Les troupes avaient fait évacuer les amphithéâtres.

Je soupais chez la Schröder; elle me parlait de Mme Courilof, qu'elle avait connue à vingt ans, « quand elle chantait *Giroflé-Girofla*, dans les petits cabarets des Iles. Plus tard, elle est devenue la maîtresse du prince Nelrode avant de rencontrer Son Excellence. »

— Courilof sait-il que le prince l'a précédé dans les faveurs de la dame ? demandai-je.

Mais Mme Schröder me dit que cette circonstance, pour des raisons mystérieuses, les avait liés davantage. Elle parlait encore, quand Fanny entra.

En ville, on disait que les soldats avaient ouvert le feu et qu'il y avait un certain nombre de jeunes gens tués et blessés. Je n'ai jamais vu, sur un visage humain, une expression de haine plus grande que sur celui de Fanny; ses yeux verts étincelaient. J'étais moi-même bouleversé.

Quand nous sortîmes, la ville était absolument muette et comme écrasée. Ce silence extraordinaire, je le perçus bien des fois par la suite : le plus sûr avertissement des révolutions. Il y eut, cette nuit-là, de petites révoltes partielles dans les usines et les fabriques de textiles, réprimées aussitôt avec une violence extrême.

Nous traversâmes presque toute la ville, sans rien entendre d'autre que le bruit des tabliers de fer précipitamment abaissés aux devantures des magasins. De rares boutiques demeuraient ouvertes ; seule, une lanterne posée à terre les éclairait faiblement.

La grande cour rectangulaire de l'Université était fermée par des grilles, mais, comme nous y arrivions, un petit groupe d'hommes, portant des civières, y pénétrait.

Nous nous glissâmes derrière eux, puis les grilles se refermèrent. Les bâtiments de l'Université étaient plongés dans les plus profondes ténèbres. Tout à coup, une lumière brilla dans une des salles, et on la vit passer à travers les grandes verrières des amphithéâtres ; elle luisait faiblement dans la clarté de la nuit. Je ne sais pourquoi, elle produisait une impression inexprimablement sinistre.

Nous nous étions tapis derrière les hautes colonnes et nous demeurions sans bouger, fascinés, malgré le danger certain que nous courions, car les forces de police parcouraient à chaque instant la place.

Les maisons, de l'autre côté de la rue, étaient fermées et sombres également. Comme nous allions partir, profitant d'une sorte de va-et-vient qui s'était produit, une voiture arriva au grand galop, et nous reconnûmes Courilof.

Un des hommes en faction se détacha du groupe, ouvrit la portière, mais Courilof fit signe qu'il ne descendrait pas. Ils échangèrent quelques mots ; mais, quoique je fusse près d'eux, je ne distinguai rien. Je voyais dans la lumière de la nuit, qui était pure et claire comme un crépuscule occidental, la haute stature immobile du ministre et son visage qui était d'une froideur et d'une dureté inhumaines.

A ce moment, on entendit des pas dans l'intérieur de la cour, et les porteurs de civières sortirent. Ils étaient huit, je crois. En passant devant la voiture, ils s'arrêtaient, abaissaient le drap.

Un homme, debout auprès de Courilof, et que je vois encore, un petit homme pâle, avec une grosse moustache jaune et un tic nerveux qui tiraillait sa lèvre supérieure, inscrivait les noms des victimes dans un registre ; les porteurs lui tendaient des carnets, des papiers, les passeports sans doute, trouvés dans les vêtements des morts.

J'apercevais, l'éclair d'une seconde, de jeunes visages aux yeux clos, avec cette expression inoubliable de secret, de profond dédain qu'ont les morts, quelques heures après leur fin, quand s'effacent sur leurs traits les marques de la douleur et de l'effroi.

On les emportait et on les jetait avec un bruit sourd, un « han ! » de portefaix soulevant des caisses, dans un fourgon fermé, noir, qui stationnait.

Le ministre fit un signe, les policiers s'écartèrent, la voiture partit d'un trait. J'eus le temps de voir le ministre se rencogner et avancer son chapeau sur ses yeux. Une impression d'horreur profonde me resta de cette scène.

VIII

J'avais songé à me présenter chez le ministre en qualité de valet français, de précepteur ou de médecin. Ce fut cette dernière combinaison qui prévalut. Un de nos affiliés de la légation de Suisse me recommanda à son chef, et celui-ci, innocemment, à Courilof, qui, tous les ans, quand il partait s'installer dans sa maison des Iles, et ensuite au Caucase, emmenait un jeune médecin avec lui, étranger de préférence.

Je me présentai à la légation et, avec mon passeport et mes lettres de recommandation apocryphes, j'arrivai naturellement plus vite à mes fins qu'un Marcel Legrand authentique eût pu le faire. J'obtins un mot du ministre de Suisse, où il se portait garant de moi au point de vue politique ; le jour même, j'allai au palais.

Je fus reçu par un secrétaire, qui examina mes papiers et les retint ; puis il me pria de revenir le jour suivant, ce que je fis.

Donc, j'étais là le lendemain, j'attendais.

Courilof traversa la salle d'un pas brusque et lourd, me prit la main. Je fus frappé de la différence que présentaient ses traits, vus ainsi, à une courte distance, avec ceux dont j'avais gardé le souvenir. Il semblait plus vieux, et son visage, immobile en public comme un bloc de marbre, paraissait plus mou, plus friable, plus doux, envahi d'une graisse blanchâtre ; un cerne profond entourait ses yeux.

J'avais remarqué, le jour où nous nous étions croisés près de sa maison, la manière dont il m'avait regardé dans les yeux, sans paraître me voir, et comme s'il eût cherché un objet derrière un mur de verre. Il était tout front et grandes oreilles... Les quelques instants que dura notre entretien, je sentis, fixés sur moi, ses yeux bleus fatigués. On me dit plus tard que c'était le tic d'Alexandre III, cette manière lourde de tenir le visage de son interlocuteur sous ses yeux, sans remuer les paupières ni les cils. Sans doute, le ministre l'imitait. Mais il semblait surtout en proie à une idée obsédante, et sous son regard fixe et distrait on ressentait non point de la crainte, mais un sentiment de gêne et de désarroi.

Il me posa quelques questions, me demanda si je pouvais m'installer dès le lundi suivant dans leur maison des Iles.

— J'y passerai le mois de juin, dit-il, et l'automne, au Caucase...

J'acquiesçai. Il fit un signe, et le secrétaire m'accompagna jusqu'à la porte. Je partis.

Le lundi suivant, je me fis conduire aux Iles. La maison des Courilof était bâtie à leur extrémité même, en un endroit que l'on appelait la Flèche, d'où tout le golfe de Finlande apparaissait ; là, se reflétait le soleil couchant, qui répandait, tout le long de la nuit de mai, un éclat lumineux d'argent. De maigres bouleaux et des sapins nains poussaient sur un sol spongieux, où filtrait une eau noire, croupissante. Jamais je n'ai vu ailleurs pareille abondance de moustiques. Le soir, une vapeur blanchâtre s'élevait autour des habitations, et des nuées épaisses de moustiques des marais volaient dans l'air.

Les maisons des Iles étaient fort belles. Parfois, une villa de Nice me rappelle celle des Courilof, car elle était du même style italien, pompeux et rococo, la pierre de couleur safranée, les soubassements peints en vert d'eau, et ornée de grands balcons en forme d'œuf.

Pendant la guerre civile, tout cela fut détruit. J'y retournai une fois, je m'en souviens, au moment des batailles d'octobre 19, contre Youdenitch, quand j'étais commissaire aux armées. Nos gardes rouges campaient au bord du golfe. Je ne trouvai pas trace de la maison, elle avait été complètement rasée par les obus ; elle semblait s'être abîmée sous la terre ; l'eau avait jailli de toutes parts ; elle formait un véritable étang, tranquille et profond, d'où montait le bourdonnement strident des moustiques... Je respirai l'odeur de l'eau avec un sentiment étrange...

Je vécus quelque temps seul, dans cette maison, avec le fils de Courilof, âgé de dix ans, Ivan, et son précepteur, un Suisse du nom de Frœlich. Le ministre avait été retenu par l'empereur. Puis arrivèrent Mme Courilof et la fille du ministre, Ina (Irène Valerianovna), et enfin le ministre lui-même.

IX

Valerian Alexandrovitch arriva un soir, tard. J'étais couché. Le bruit de la voiture roulant sur les pavés de la cour me réveilla.

J'allai à la fenêtre. Les laquais tenaient encore ouverte la portière de la voiture ; Courilof en descendit, soutenu par un secrétaire ; il semblait marcher difficilement ; il traversa la cour d'un pas lent et pesant qui martelait le sol. Sur le perron, il s'arrêta, désigna ses valises, donna des ordres que je n'entendis pas. Je le regardai. En ce temps-là, je ne pouvais pas me lasser de le regarder... Je pense que le pêcheur qui a longtemps attendu au bord de la rivière, et qui sent enfin la ligne ployer et trembler dans sa main, et qui ramène son saumon ou son sterlet, doit contempler avec le même sentiment ce paquet brillant qui palpite et étincelle en face de lui.

Courilof était depuis longtemps entré dans la maison que je demeurais là encore, imaginant avec fièvre la minute où je le tiendrais mort sous ma main.

Cette même nuit, je ne m'étais pas recouché, je lisais ; un domestique entra :

— Descendez immédiatement : Son Excellence se trouve mal.

J'allai chez le ministre. En approchant de la chambre, j'entendis une voix que j'eus peine à reconnaître pour celle de Courilof, une sorte de cri continu, coupé de plaintes et de soupirs :

— Mon Dieu ! Mon Dieu ! Mon Dieu !...

Le domestique me pressa :

— Hâtez-vous, Son Excellence est très mal...

J'entrai. La pièce était dans un désordre sans pareil. Je vis Courilof étendu sur son lit, entièrement déshabillé, son gros corps jaune éclairé par une bougie allumée. Il se tournait sans cesse de côté et d'autre, cherchant sans doute à allonger son corps sans souffrance ; mais les mouvements lui arrachaient des cris. Quand il me vit, il voulut parler, et, brusquement, un flot de vomissements noirs lui sortit des lèvres. J'examinai ses pommettes jaunes, l'angle interne des paupières profondément cerné. Il montrait de la main la région du foie, en gémissant, en me suivant du regard de ses gros yeux dilatés ; j'essayai de le palper, mais la paroi était envahie par la graisse ; cependant, je remarquai l'anormale maigreur de son thorax et des jambes, contrastant avec ce ventre énorme.

Sa femme, agenouillée derrière lui, soutenait des deux mains sa tête renversée.

— Le foie ? dis-je.

Elle me montra une seringue de morphine préparée sur la table.

— C'est le professeur Langenberg qui soigne habituellement Son Excellence, mais il était absent, murmura-t-elle.

J'injectai la morphine et enveloppai de compresses chaudes la région du foie. Courilof tomba dans un demi-sommeil entrecoupé de gémissements.

Je renouvelai les compresses pendant près d'une

heure. Il avait cessé de gémir et soupirait seulement profondément parfois. Il avait un corps parfaitement glabre et couvert d'une graisse blanchâtre, comme du suif. Sur sa poitrine, je remarquai une petite icône d'or, attachée au cou par un cordon de soie. La chambre entière, une très grande pièce sombre, de forme irrégulière, tapissée d'un reps vert, presque noir, était couverte de haut en bas, d'images de la Vierge et des saints, comme une chapelle. Une énorme icône, dans un cadre d'or, occupait tout un angle du mur; elle contenait l'image d'une Vierge noire, à la coiffure faite de pierreries, au visage ingrat et douloureux; la tapisserie était éclairée par places par les petites lumières vacillantes des lampes d'icônes; au-dessus du lit, j'en comptai trois, étagées dans les plis d'une tenture flottante.

La femme, cependant, n'avait pas bougé; elle continuait à tenir avec précaution, comme un enfant endormi, le lourd front rigide et jaune.

Je lui dis de le laisser, qu'il était inconscient. Elle ne répondit pas, ne parut pas entendre, serra plus étroitement ses bras autour du visage renversé. Il respirait avec effort, la bouche ouverte, les narines dilatées, ses gros yeux pâles luisant sous les paupières baissées.

Elle chuchotait :

— Valia... mon amour; Valia, mon chéri...

Je la regardai attentivement. Elle paraissait harassée; sa figure, débarrassée de fard, était celle d'une vieille, vieille femme... Mais elle avait dû être belle... Il y avait en elle un extraordinaire mélange de ridicule et de pathétique. Ses cheveux étaient coiffés en petites boucles d'or, à l'enfant; sa bouche, marquée de rides fines et profondes, comme des craquelures sur un tableau; ses yeux étaient cernés de telle façon qu'ils formaient, sur le côté intérieur de l'orbite, une sorte de sombre anneau : cela, peut-être, donnait au regard son expression profonde et lasse.

— Il n'a pas froid ? murmura-t-elle. Quand il souffre ainsi, il ne peut pas supporter le contact d'un drap sur le corps.

J'allai chercher une couverture et en enveloppai le corps dévêtu, qui commençait à frissonner de froid et de fièvre. J'allai doucement, mais, à un moment, je ne pus m'empêcher d'effleurer la région du foie. Il poussa une sorte de plainte animale qui, je ne sais pourquoi, me toucha.

— Là, là, dis-je. C'est fini...

Je mis ma main sur son front, en essuyai la sueur. Mes mains étaient froides et son front brûlait. Je sentais qu'il devait en éprouver du bien-être. Je passai ma main encore une fois, lentement, sur son visage ; je le regardai.

Mme Courilof dit à voix basse :

— Tu vas mieux, Valia, mon chéri ?

Je répétai :

— Laissez-le dormir. Il dort...

Elle lui souleva la tête, l'installa avec précaution sur le coussin. Je pris un flacon de vinaigre qui se trouvait à portée, humectai mes mains, recommençai. Il était couché sous mes yeux, étendu de face ; sa figure blême gardait, malgré la souffrance, son air de dureté et de froideur.

Le domestique, qui était demeuré dans la chambre et s'assoupissait debout dans un coin, demanda à voix basse :

— Dois-je retourner chercher le professeur Langenberg ?

— Oui, oui, dit vivement Mme Courilof, vite... Allez vite..

Je m'éloignai, m'assis sur le bord de la fenêtre ouverte où je pouvais fumer et respirer plus à l'aise. C'était le matin déjà, et les premières voitures commençaient à rouler.

Un peu plus tard, Courilof se souleva, me fit signe d'approcher.

— On est allé chercher le professeur Langenberg, dis-je.

— Je vous remercie. Vous m'avez bien soigné. Vous paraissez habile.

Il s'exprimait en français, d'une voix adoucie et voilée ; il avait dû souffrir à l'excès ; sa figure était grise, et des ombres profondes se creusaient sous les yeux. Sa femme se pencha vers lui, lui passa la main doucement sur la joue et demeura debout à son chevet, le regardant avec une attention passionnée.

Il m'invita à l'ausculter : je le fis légèrement et, à ses questions, dis qu'il me paraissait surmené. J'étais frappé du mauvais état dans lequel je trouvais à peu près tous ses organes. Il semblait de fer, et son aspect, sa grosseur, sa haute taille, lui donnaient l'apparence d'un colosse. Cependant, les poumons étaient engorgés, le cœur irrégulier et nerveux ; pas un muscle sous cet amas de chair.

Je revins avec précaution à la région du foie ; je croyais sentir sous mes doigts une grosseur anormale, mais il me repoussa, pâlit davantage :

— De grâce...

Il me désigna de la main le côté droit de son corps.

— Là, là. Cela coupe comme avec un rasoir...

Le mouvement qu'il avait fait augmenta sans doute la douleur. Il gémit, mais serra les dents avec fureur : habitué à dominer avec certains gestes, certains regards, il les employait inconsciemment envers la maladie et la mort.

Au bout de quelque temps, il parut calmé, recommença à parler. Il dit d'une voix faible que sa vie était difficile et qu'il se sentait las. Il soupira plusieurs fois et agita sa grande main, qui tremblait légèrement.

— Vous ne savez pas, vous ne connaissez pas ce pays, mais nous traversons de durs moments. Toute autorité est affaiblie, les serviteurs de l'Empereur ont un lourd fardeau à porter.

A mesure qu'il parlait, il employait un langage plus affecté et pompeux ; le contraste était étrange entre ses paroles compassées et l'expression de son visage, vieux et las, où, dans les yeux, demeuraient encore des larmes de souffrance.

Il s'interrompit, dit doucement à sa femme :

— Allez vous reposer, Marguerite.

Elle le baisa longuement au front et sortit.

J'allai derrière elle et, la dépassant, je la regardai curieusement au visage.

— Ce sont bien... des crises hépatiques ? demanda-t-elle avec une expression de doute et d'angoisse qui crispait sa figure harassée.

— Sans doute...

Elle hésita, dit à voix basse :

— Vous verrez, ce Langenberg... Ces médecins, ces Russes, ne m'inspirent pas confiance... S'il n'était pas ministre, ce serait différent, c'est sûr ! Mais ils se cachent les uns derrière les autres pour ne pas prendre leurs responsabilités ; ils ont peur, ils se défilent, quoi !

Son accent parisien, vif et grasseyant, mangeait à demi les mots. Elle secoua ses étranges cheveux d'or, me fixa de ses grands yeux fatigués :

— Vous êtes Français, monsieur ?

— Non, Suisse.

— Ah ! fit-elle, c'est dommage...

Elle rêva un instant en silence ; enfin, elle demanda :

— Mais... vous connaissez Paris ?

— Oui.

— Je suis Parisienne, dit-elle en me regardant avec fierté.

Et, machinalement, elle fit étinceler dans un sourire ses yeux et ses dents :

— Parisienne !

Nous étions arrivés au bas de l'escalier. Je m'effaçai pour la laisser passer ; elle ramassa le flot de ses jupes, tendit le pied, – un joli pied encore, sec et cambré, chaussé de mules dorées à haut talon, – voulut monter. Au même moment, une domestique qui traversait la galerie laissa tomber à terre un plateau couvert de porcelaines.

J'entendis nettement le bruit de vaisselle cassée et le cri nerveux, perçant de la fille. Mme Courilof, livide et raide, paraissait clouée à sa place. Je tentai de la rassurer, mais elle ne m'entendait pas ; elle demeurait blême et immobile ; seules, ses lèvres tressaillaient et esquissaient une sorte de grimace grotesque et pénible à voir.

J'ouvris la porte du salon, lui montrai la servante agenouillée qui ramassait les éclats sur le parquet. Alors seulement, un peu de couleur revint à ses joues.

Elle soupira profondément et monta sans rien dire. Sur le palier, en me quittant, elle murmura en s'efforçant de sourire :

— Je vis sous la menace constante de l'attentat... Mon mari est vénéré par le peuple... mais...

Elle n'acheva pas, baissa la tête et me quitta brusquement. Plus tard, à chaque retard du ministre, je la vis penchée à la fenêtre, guettant, sans doute, au détour du chemin, un corps inanimé sur une civière ; à chaque bruit insolite de pas, de voix dans la maison, je lui vis le même sursaut, la même pâleur livide, une expression misérable de bête poursuivie, qui attend un coup sans savoir d'où il viendra.

Après l'exécution du ministre, je me souviens parfaitement, j'étais gardé à vue dans la pièce voisine de celle où l'on avait étendu le cadavre. Elle entra : elle semblait presque calme, les yeux secs, délivrée.

X

Le lendemain, Courilof me fit appeler pendant la visite de Langenberg.

Langenberg était un homme de grande taille, du type allemand, blond, avec une barbe dure et carrée, l'œil perçant, ironique et froid derrière ses lunettes. Ses mains glacées et moites communiquaient au corps de Courilof, quand il le touchait, des frissons nerveux que je percevais, assis, comme je l'étais, au pied du lit.

Langenberg semblait y prendre un certain plaisir ; il palpait et retournait ce gros corps gémissant, avec une moue goguenarde et silencieuse qui m'irritait.

— Ça va, ça va...

— Dois-je rester couché ?...

— Quelques jours... pas longtemps... Vous n'avez pas grand'chose à faire, en ce moment ?

— Mon travail est de ceux qui ne souffrent pas d'interruption, dit Courilof en fronçant les sourcils.

Sur le point de partir, Langenberg me dit, en me prenant à l'écart :

— Vous n'avez pas senti, sous les doigts, à l'examen, une grosseur ?

Je dis qu'elle me paraissait même parfaitement nette. Il hocha plusieurs fois le menton.

— Oui, oui...

— C'est un cancer, lui dis-je.

— Ça, fit-il en haussant les épaules, je ne sais pas... C'est le début de la tumeur, en tout cas... S'il ne s'agissait pas de Courilof, mais d'un bonhomme quelconque... *ein Kerl...* je pourrais l'opérer, cela prolongerait sa vie d'un nombre *x* d'années... Mais Courilof ! Prendre sur soi une pareille responsabilité !...

Nous marchions de long en large dans la claire petite galerie qui précédait la chambre.

— Il sait ?

— Mais non, fit-il ; à quoi bon ? Il a consulté je ne sais combien de médecins, qui, tous, soupçonnent la chose et refusent de l'opérer. Courilof ! répéta-t-il, vous ne comprenez pas, vous ne connaissez pas ce pays, jeune homme !

Il m'indiqua un régime, des soins et partit.

La crise dura une dizaine de jours, pendant lesquels je demeurai dans une petite pièce voisine de la chambre du ministre, à portée de sa voix. Toute cette partie de la maison était constamment traversée par les secrétaires, les employés du ministre, chargés de dossiers et de lettres. Je les voyais attendre leur tour, frémir, s'approcher de la porte close ; je les entendais se demander l'un à l'autre, à voix basse :

— De quelle humeur est-il, aujourd'hui ?

L'un d'eux, un employé subalterne que ses fonctions appelaient plusieurs fois par jour auprès du ministre, se signait furtivement en entrant. Il était vieux, je me le rappelle, d'aspect digne et soigné, avec un visage pâle, tendu par l'anxiété... Courilof, cependant, parlait, presque toujours, d'une manière égale et courtoise, mais en desserrant à peine les lèvres, froidement et brièvement. Ses mouvements d'impatience étaient rares, mais alors sa voix, telle que je l'entendais dans la pièce voisine, devenait méconnaissable; il hurlait des injures d'un accent rauque et essoufflé, puis s'arrêtait tout à coup, soupirait, disait en faisant un geste las de la main :

— Va-t'en !... Que le diable t'emporte !...

Un jour, sur le seuil de la chambre, en ma présence, Mme Courilof se heurta à une visiteuse que j'avais vue plusieurs fois, sans connaître son nom, que l'on traitait avec les marques du plus profond respect. Elle avait une de ces figures pâles et sans beauté qui attirent et retiennent l'attention par un certain dessin net et sec; ses yeux profonds avaient une tragique fixité. Elle se tenait droite comme une barre de fer, et ses cheveux striés de blanc, roulés en vague au-dessus du front, ses longues dents, son col baleiné, son vêtement de drap gris, à trois collets, orné de dentelles, lui composait une silhouette étrange et frappante.

En l'apercevant, Mme Courilof parut excessivement troublée; elle hésita un instant, plongea dans une gauche révérence. La femme la regarda, arrêtant successivement ses yeux sur les cheveux d'or, les paupières fardées, la bouche. Puis elle eut une sorte de léger soupir, elle haussa les sourcils, ses lèvres pâles esquissèrent un petit sourire ironique.

— Son Excellence va mieux? murmura-t-elle enfin d'une voix excédée.

Mme Courilof répondit :

— Mon mari va mieux, Altesse...

Il y eut un léger silence, et la visiteuse entra. Mme Courilof demeura un instant indécise au milieu de la chambre, puis s'en alla à pas lents. En passant devant moi, elle sourit tristement, haussa les épaules, dit à voix basse :

— Comme elles s'habillent drôlement, ces femmes, n'est-ce pas ?

En la regardant de près, je vis qu'elle avait les yeux pleins de larmes et une expression de lassitude extrême sur le visage. Une autre fois, je rencontrai dans la chambre du ministre un vieil homme en uniforme blanc d'été. Je sus plus tard que c'était le prince Nelrode. Pour lui, la voix du ministre changeait, devenait profonde et empreinte d'une douceur moelleuse de velours.

Quand j'entrai, je le vis à moitié assis sur le lit, se soulevant avec un effort qui pâlissait ses traits, mais souriant, inclinant la tête avec solennité et une sorte de tendresse respectueuse. Il m'aperçut, et l'expression de son visage changea ; il laissa retomber sa tête sur le coussin avec majesté, dit entre ses dents d'une voix lasse :

— Tout à l'heure, monsieur Legrand, tout à l'heure...

Je montrai l'ampoule préparée.

Le visiteur fit un mouvement de la main.

— Je vous laisse, mon cher ami.

Il me regarda curieusement, élevant jusqu'à ses yeux le pince-nez qu'il laissa retomber ensuite.

— Oui, Langenberg m'avait dit que vous aviez un nouveau médecin.

— Et fort habile, dit gracieusement Courilof.

Mais, aussitôt, il me fixa de ses gros yeux las et hautains.

— Allez, monsieur Legrand, je vous rappellerai.

Je commençais à bien connaître tous les aspects de Courilof, avec ses inférieurs, avec ses pairs, avec ceux dont il avait besoin ou qu'il respectait. Et tous ses tics, ses mouvements du visage, ses sourires, ses paroles, étaient, en quelque sorte, classiques, attendus ; mais chaque soir, lorsque j'entrais et que je le trouvais seul avec sa femme, je pensais que la nature humaine est véritablement bizarre.

La nuit, je m'installais dans sa chambre même, je couchais sur une chaise longue, à côté de son alcôve. Je montais tard. La maison était, à l'ordinaire, pleine d'un bruit de pas, de voix, tout cela assourdi, retenu par une déférence craintive, mais perceptible comme le bourdonnement d'une ruche. Le soir, tout se taisait. Il faisait froid, comme cela arrive souvent à Pétersbourg, à la fin du printemps, quand la glace descend du nord, le long de la Néva. Je me souviens, j'entrais dans la chambre ; on entendait seulement le craquement et le pétillement des bûches dans le poêle. Une lampe rose était allumée dans un coin. A côté du lit, assise dans un petit fauteuil bas, Mme Courilof tenait la main de son mari entre les siennes. Quand elle m'apercevait, elle s'exclamait de sa voix pointue d'oiseau :

— Déjà ? Onze heures, déjà ? Il est temps de vous reposer, mon ami.

Je m'installais avec un livre devant la fenêtre. Et, au bout de quelques instants, ils m'oubliaient, reprenaient à voix basse leur conversation.

Peu à peu, je levais les yeux et, dans l'ombre, je regardais ces visages changés. Lui, le front appuyé sur sa main, un pâle sourire flottant au coin des lèvres (ces lèvres de pierre, qui semblaient si peu faites pour sourire), il l'écoutait sans se lasser. Moi-même, je l'écoutais parfois avec plaisir. Non qu'elle fût intelligente, loin de là, mais elle avait une manière décousue, fantastique, un peu folle de parler, qui reposait comme le bruit monotone d'un ruisseau, d'un chant d'oiseau. En même temps, elle savait se taire, elle savait demeurer immobile, guetter le moindre de ses désirs, comme une vieille chatte attentive. Dans cette lumière rose, et elle-même à demi dissimulée dans l'ombre, on ne voyait d'elle que ses cheveux dont l'or s'éteignait et ses yeux admirables. Et, parfois, elle avait une petite exclamation, un haussement d'épaules, l'accent ironique, inimitable d'une femme qui a vu de la vie tout ce qu'on peut voir. Il lui échappait souvent une sorte de soupir involontaire, un cri : « Ah ! mon Dieu, ce que j'en ai vu !... », et, doucement, elle caressait la main de Courilof.

— Mon chéri, mon pauvre chéri !...

Car ils m'avaient oublié, se tutoyaient ; elle l'appelait : « Mon cœur... Mon amour... Mon chéri... » Ces mots adressés à Courilof, au « Cachalot, féroce et vorace... », me touchaient.

Un jour :

— Ah ! dit-elle, crois-tu que je ne le vois pas ? Je n'aurais jamais dû t'écouter... A quoi bon se marier ? Nous étions heureux.

Elle se tut brusquement : elle venait, sans doute, de se rappeler ma présence. Mais je demeurais absolument immobile. Elle soupira, dit à voix basse :

— Valia, te rappelles-tu ? Te rappelles-tu autrefois ?...

— Oui, dit-il brièvement.

Elle murmura, en hésitant, avec une expression de crainte et d'espoir :

— S'ils arrivaient à leur fin... qui sait ?... Si tu n'étais plus ministre, nous laisserions ce pays, nous irions vivre en France, tous les deux...

A ces mots, je vis le visage de Courilof changer, se crisper. Une dureté inhumaine parut sur ses traits, dans son regard.

— Ah ! dit-il de sa voix ronflante et solennelle, qu'il élevait insensiblement, croyez-vous que je tienne au pouvoir ? C'est un fardeau. Mais, tant que le Souverain aura besoin de moi, j'accomplirai mon devoir jusqu'au bout.

Elle baissa tristement la tête. Il commençait à s'agiter, à tourner en tous sens son corps sur le lit.

— Je vais vous laisser, murmura-t-elle.

Il hésita, ouvrit les yeux, la regarda, puis demanda à voix basse :

— Chante-moi un air quelconque avant de me quitter...

Elle chantait des romances françaises, de vieux airs d'opérette, avançant la jambe, cambrant la taille, secouant la tête d'un air vainqueur, comme autrefois, sans doute, dans les petits cabarets des Iles. Et, pourtant, la voix était belle. Je me détournais pour ne pas la voir, pour entendre seulement cet accent sonore et doux. La regarder était horrible ; elle m'inspirait de la pitié et de la moquerie. Mais lui ?... Je me demandais si vraiment elle avait été belle à ce point... Il n'y avait pas un portrait d'elle dans la maison.

Il la regardait sans bouger, perdu dans une rêverie ardente et vague.

— Ah ! on ne chante plus comme cela !

Il lui prit les mains, je me souviens, en affectant de les tapoter, comme celles d'une amie, d'une enfant, d'une vieille épouse, avec une affectueuse indifférence. Mais il fermait les yeux, et, peu à peu, sans doute, les souvenirs du passé lui revenaient ; je voyais son étreinte se resserrer, le sang se retirer des doigts crispés. Elle sourit, avec une petite contraction amère et mélancolique des lèvres.

— Fini, le bon temps, mon ami...

Il soupira, d'un air troublé et anxieux :

— La vie est courte.

— Elle est bien assez longue comme cela. C'est la jeunesse qui passe vite...

Il lui dit à voix basse quelques mots que je n'entendis pas. Elle haussa les épaules :

— Vraiment ?

Sans doute, ces paroles et ce geste avaient dû avoir, autrefois, pour eux, une signification particulière, car elle se mit à rire, mais tristement, comme si elle sous-entendait :

— Vous vous rappelez ? J'étais jeune alors...

Mais il répéta en imitant sa voix :

— Vraiment ? Comment dis-tu ? Vraiment ? Mon oiseau chéri...

Quand il riait, son menton tremblait et l'expression de ses yeux devenait limpide et douce.

Enfin, arrivaient les enfants de Courilof : Ina et le garçon, Ivan, qui était, comme Courilof lui-même, gros et faible, avec des joues blanches, de longues oreilles, vite essoufflé.

A celui-ci, Courilof parlait avec une tendresse profonde. Il le prenait, le caressait, le gardait longtemps contre lui en soupirant :

— Ah ! voilà mon fils, mon successeur...

Il palpait doucement ses cheveux, ses bras.

— Regardez, monsieur Legrand, il est anémique, continuait-il.

Et je me souviens encore de son geste pour abaisser la lèvre pâle du garçon et ses paupières.

La fille était silencieuse, avec un visage froid et fermé. Elle ressemblait cependant à Courilof; elle avait ses mouvements et le son de sa voix : elle tourmentait constamment un collier d'or qui encerclait son cou.

Courilof se montrait envers elle d'une froideur presque hostile. Il lui parlait du bout des lèvres, la regardait avec une expression de gêne et de colère.

Les enfants lui baisaient la main. Il traçait le signe de la croix sur leurs fronts inclinés, ainsi que sur le visage fardé de sa vieille maîtresse.

Enfin, ils s'en allaient tous les trois.

XI

Courilof et sa femme avaient l'habitude de correspondre de chambre à chambre; les domestiques portaient d'un bout à l'autre de la maison, jusqu'à une heure avancée de la nuit, des livres, des fruits, accompagnés de petits billets écrits au crayon.

Je les lui lisais parfois, à sa demande, car il était fier de sa femme; il aimait me faire goûter son écriture et son style. Elle écrivait, en effet, d'une manière décousue, moqueuse, mélancolique, qui rappelait sa conversation et ne manquait pas de charme. Souvent, il s'agissait de questions qu'elle lui rappelait de m'adresser à propos de potions à prendre, de soins, de régimes, tout cela mêlé de :

« Bonne nuit, mon cher et unique ami ! Ta vieille et dévouée Marguerite. »

Ou :

« J'attends avec une grande impatience le jour : un jour nouveau est toujours précieux à notre âge, et celui-ci me donne l'assurance de vous voir. »

Une fois, je lus :

« Recevez, pour l'amour de moi, mon chéri, une vieille femme, la veuve Aarontchik, qui vient crier justice vers vous du fond de sa province. Autrefois, et bien avant que j'eusse le bonheur de vous connaître, cette femme a été ma logeuse à Lodz, et elle m'a soignée avec dévouement à l'époque de... »

Ici, suivait toute une série d'initiales que j'énumérais à Courilof, sans en comprendre le sens. Il fronça les sourcils et sa figure prit cet air revêche et triste que je commençais à bien connaître.

Il poussa un profond soupir :

— Classez.

Ce fut cette nuit-là qu'il me demanda, après un moment de réflexion :

— Ne trouvez-vous pas que les femmes françaises ont une grâce et une élégance innées de style ?

Il n'attendit pas ma réponse et continua :

— Ah ! si vous aviez vu Marguerite Eduardovna dans *La Périchole*, quand je l'ai connue !

— Il y a longtemps ? demandai-je.

Il paraissait toujours troublé et surpris quand on lui posait une question, comme d'une inconvenance dont on rougit pour celui qui la commet. Je me souviens... Un jour, pendant la révolution, j'interrogeai un des grands-ducs. Lequel ?... J'ai oublié son nom... Agé. Il était resté près d'un an emprisonné dans les geôles de Kresty et mourait de faim quand on le mena devant moi. Mais il demeurait froid et calme, traitant ses gardiens avec une politesse méticuleuse, ironique, et paraissant supporter ses malheurs avec un stoïcisme extraordinaire. Jusqu'au moment où moi, qui ne m'étais pas couché depuis trente-six heures, en entrant dans la pièce où il se tenait, je m'assis en face de lui, en oubliant de m'excuser. Cet homme, qui avait la figure à moitié écrasée par le coup de poing d'un gardien, rougit, mais non pas de colère, de gêne, comme si je m'étais déshabillé devant lui... Le pauvre Courilof, avec les tics d'Alexandre III, avait pris certaines façons d'autocrate.

Je le laissai un instant me fixer, d'un air troublé et hautain, de ses gros yeux pâles.

— Il y a quatorze ans, dit-il enfin.

Il ajouta plus doucement, après avoir réfléchi :

— Moi-même, j'étais jeune, alors... Beaucoup d'eau a coulé depuis...

La nuit, ainsi que je l'ai dit, je couchais dans sa chambre. Il était patient et ne se plaignait jamais. Souvent, il ne dormait pas et je l'entendais qui remuait doucement et geignait en faisant un effort pour prendre tel ou tel objet sur la table.

Je me souvenais des nuits de Suisse, des nuits sans sommeil où l'on écoute le bruit, le bourdonnement du sang, le battement précipité des tempes, où l'on respire sur soi l'odeur de la mort, et comme on est las... et combien la vie paraît désirable et les nuits longues.

— Vous ne dormez pas ? dis-je une fois.

Je l'entendais qui, depuis près d'une heure, remuait sur son oreiller, ne pouvant trouver, sans doute, une place fraîche sur la toile. Je connaissais bien cela aussi... Il parut inexprimablement heureux d'entendre ma voix. J'écartai le paravent qui séparait la chaise longue où je couchais de son alcôve. Il soupirait doucement.

— Dieu, que j'ai mal, disait-il d'une voix tremblante et essoufflée. Cela coupe comme avec un rasoir...

— C'est, dis-je, la sensation qui accompagne ordinairement ces crises. Cela va passer...

Il hocha plusieurs fois la tête avec un effort visible.

— Vous êtes courageux, lui dis-je.

J'avais déjà remarqué que cet homme avait un besoin

enfantin et maladif des louanges. Il rougit légèrement, se redressa sur son oreiller et m'indiqua la chaise à côté de son lit.

— Je suis profondément croyant, monsieur Legrand ; je sais que la jeunesse, aujourd'hui, est portée au rationalisme. Mais ce courage que vous voulez bien me reconnaître, et que mes ennemis eux-mêmes admettent sans discussion, me vient de ma foi en Dieu. Pas un cheveu ne tombe de la tête sans sa permission.

Il se tut, et nous regardâmes voler les moustiques, attirés par la lampe. Encore maintenant, quand je vois, l'été, voler les moustiques et bouger leurs longues trompes avides, je me reporte en pensée à ces nuits des Iles, et j'entends le froissement métallique, musical, des fines ailes au-dessus de l'eau.

Je fermai la fenêtre, vis qu'il brûlait de fièvre et ne semblait pas disposé à dormir. Je lui proposai de lire à haute voix. Il accepta, me remercia. Je pris un livre sur la tablette. Au bout de quelques pages, il m'arrêta.

— Monsieur Legrand, vous n'avez pas sommeil, réellement ?

Je dis que je dormais mal par ces nuits claires. Alors :

— Si vous vouliez m'aider ? dit-il. J'ai beaucoup de travail en retard. Cela me tourmente. Vous ne direz rien à Langenberg, reprit-il en s'efforçant de sourire.

Je lui apportai le paquet de lettres qu'il me désigna ; je les lui passais au fur et à mesure, et il traçait dans les marges des annotations avec des crayons de couleurs différentes, qu'il choisissait avec le plus grand soin. En les lui tendant, je les parcourais à la dérobée : c'étaient, pour la plupart, des lettres d'inconnus, contenant des suggestions au sujet de la suppression des idées révolutionnaires dans les lycées et les universités, et une quantité invraisemblable de dénonciations, de professeur à élève, d'un élève à un autre. Etudiants, lycéens, proviseurs, maîtres d'école, on avait l'impression que tous les habitants de la Russie passaient leur vie à s'espionner et à se dénoncer les uns les autres.

Les rapports suivaient. Sur l'un d'eux, qui annonçait des troubles graves dans l'université d'une ville de province (Kharkof, je crois), le ministre me pria de noter le texte d'un ordre qu'il projetait.

Il s'était haussé sur ses coussins, et, à mesure qu'il dictait, son visage devenait plus froid et sévère. Il laissait tomber les paroles une à une, avec majesté, les rythmant d'un geste égal de la main. Il ordonna la fermeture des cours. Ensuite, il se recueillit, puis un sombre sourire flotta au coin des lèvres et des paupières baissées.

— Ecrivez, monsieur Legrand. « Le temps perdu en vaines discussions politiques sera récupéré au cours des vacances prochaines : celles-ci seront diminuées d'autant qu'auront duré les troubles. Si, toutefois, ceux-ci se prolongeaient jusqu'à l'automne, les résultats des examens seraient annulés ; les étudiants, quelles que soient leurs notes, devraient recommencer leur année d'études dès le début. »

Quand il eut accouché de cela, il me regarda avec une certaine fierté.

— Cela les fera réfléchir, dit-il d'un air de raillerie et de menace. Une autre, je vous prie, monsieur Legrand.

Celle-ci était une circulaire adressée aux maîtres d'école.

« ... Pendant les leçons de littérature russe et d'histoire, ils devront prendre prétexte de tous les faits possibles afin d'éveiller dans les tendres âmes de leurs jeunes élèves l'amour ardent de S. M. l'Empereur et de la Famille Impériale, ainsi qu'un attachement indéfectible aux institutions et aux traditions sacrées de la Monarchie. De plus, par leurs paroles et leurs actes, MM. les professeurs seront tenus de donner à leurs élèves l'exemple de l'humilité chrétienne et de la véritable charité orthodoxe. Il va sans dire que les propos, les lectures et, de façon générale, tous les actes subversifs qu'ils auront l'occasion de noter parmi les élèves confiés à leurs soins, devront être, comme par le passé, châtiés avec la plus grande rigueur. »

Ensuite venaient les demandes d'audience.

Je vis une lettre signée Sarah Aarontchik, qui suppliait Son Excellence de faire arrêter un nommé Mazourtchik, coupable d'avoir « séduit » son fils âgé de seize ans, en lui faisant lire Karl Marx. Valerian Alexandrovitch, qui paraissait transformé depuis qu'il maniait ses lettres, fit un geste. Ses yeux étincelaient derrière les lunettes ; son grand front poli brillait étrangement, éclairé par la lampe.

— Attendez donc... Passez-moi le billet de ma femme.

Il le relut attentivement, le plaça dans une chemise de couleur, où étaient rangés différents papiers. Puis il disposa en éventail sur le lit une quinzaine de placets et de demandes d'audience, les éparpilla.

— C'est le lot de demain et d'après-demain, dit-il avec orgueil.

Je continuai à lui passer les lettres qui venaient sous ma main. A la fin, il m'interrompit, se dit fatigué, demeura étendu, les yeux fermés, en soupirant. Sur son visage passa une expression lasse et dure que je reconnus bien. La nuit où l'on avait porté les cadavres devant lui, dans la cour de l'Université, il avait eu la même crispation nerveuse des lèvres, la même rigidité des traits. Je dis brusquement :

— Est-ce vrai que six étudiants ont été tués le mois dernier par les troupes ? Qu'avaient-ils fait ?

Il fronça les sourcils, demanda rapidement d'une voix sèche et soupçonneuse :

— Qui donc vous en a parlé ?

Je fis la réponse la plus vague possible. Il tourna la tête vers moi et parla tout à coup avec animation :

— Ces pauvres enfants... songez... et de bonnes familles... Ils avaient chassé de l'amphithéâtre, à coups de pierres, leur professeur d'histoire !... Un rien... soupira-t-il avec ironie. Tout cela était l'affaire de meneurs, de révolutionnaires professionnels, une engeance infernale, qui finira par détruire tout ce qu'il y a de bon et de noble en Russie. Je devais sévir, poussé par l'indignation générale, l'opinion publique... Je fis procéder à l'arrestation des principaux meneurs, ordonnai de vider les classes et fis venir les troupes pour faire évacuer l'Université. Six de ces malheureux exaltés se barricadèrent dans des classes vides. Un coup de feu fut tiré. Par qui ? Je ne le sais pas plus que vous. Mais un soldat avait été touché. Malgré mon ordre exprès, le colonel ouvrit le feu. Six malheureux enfants furent tués. On ne trouva pas sur eux une seule arme. Que voulez-vous ! A qui s'en prendre ? Le colonel était désespéré, les soldats ont obéi. Ces enfants furent imprudents, présomptueux, je devais sévir. Il y a des confusions inexplicables. On a dit ensuite : « Le coup de feu a été tiré par un agent provocateur. » Cela est du ressort de mon collègue de l'Intérieur ; il nie et rejette la responsabilité sur moi. Mais les véritables coupables sont ces oiseaux de malheur, ces révolutionnaires, dit-il en appuyant fortement sur les syllabes : partout où ils ont passé naissent le désordre et la mort.

Il se tut. Je remarquai qu'il parlait en bredouillant

comme dans un accès de fièvre. Je me gardai de l'interrompre. Il reprit :

— On n'a pas voulu la mort du pécheur. Mais le malheur arrive. Cependant, quand on a la mission de mener les hommes, on ne peut s'arrêter à cela. *Dura lex, sed lex.* Ces choses sont arrivées de tout temps et arriveront toujours, acheva-t-il avec force.

A mesure qu'il parlait, je voyais son visage changer, pâlir, prendre une expression de ruse et d'angoisse. Je me taisais. Il dit :

— Voyez-vous, monsieur Legrand, tout le pays est défendu contre la révolution par un système extrêmement compliqué, une muraille de Chine faite de restrictions, de préjugés, de superstitions, de conventions, comme vous voudrez les appeler, mais extrêmement forte, car la poussée de l'ennemi est plus puissante que vous ne pouvez l'imaginer. Et au moindre fléchissement, à la première brèche, sous l'effort de l'ennemi, tout croulera. Ce sont les propres paroles du prince Alexandre Alexandrovitch Nelrode, mon ami, et paroles d'Evangile. Celui-là est un homme d'Etat, monsieur Legrand, et un gentleman.

Il prononça cette parole avec une solennité comique et touchante et le léger accent sifflant affecté du pur Anglais.

Le jour venait. J'éteignis la lampe. Il s'était violemment agité en parlant et brûlait de fièvre ; on sentait, à deux pas de lui, la chaleur que dégageait son corps. Je renouvelai les compresses chaudes et le fis boire. Il respirait avec violence et on voyait la région gonflée du foie se soulever et saillir comme un ballon.

Il demanda d'une voix plus douce, affaiblie et tremblante :

— Pourquoi donc est-ce que je sens, au côté droit,

une douleur telle qu'il me semble qu'un crabe fouille ma chair avec ses pinces ?

Je ne répondis rien. D'ailleurs, il ne paraissait pas me voir. Il dit tout à coup :

— Dieu ! je ne crains pas la mort ! C'est une grande félicité que de mourir chrétien et la conscience pure, ayant servi ma religion et l'Empereur.

Brusquement, son ton solennel et pompeux changea encore une fois, devint anxieux, plein d'une sorte de zèle et de bonne volonté :

— Je n'ai pas touché un sou de ce qui m'a été confié par l'Etat. Je partirai les mains vides, comme je suis venu au pouvoir.

Il sembla me reconnaître, soupira faiblement :

— Merci, monsieur Legrand, je divague... Voulez-vous me donner à boire, je vous prie ?

Je lui tendis le verre, et il but le thé froid, avec le soupir haletant d'un chien qui se désaltère. Je le laissai et retournai m'étendre. La chaleur de la chambre et l'odeur de la fièvre m'engourdissaient. Je finis par m'endormir avec la sensation de rouler d'un cauchemar à un autre.

XII

Courilof guérit ; du moins, Langenberg le laissa-t-il aller présenter son rapport à l'empereur, et, dès ce jour, je ne vis plus mon Cachalot. Je le croisais, parfois, dans les salons d'en bas, voisins de la chancellerie. Il inclinait la tête en passant près de moi, disait à voix haute, de son ton railleur et pompeux :

— Vous accoutumez-vous au climat de la Palmyre du Nord, mon bon monsieur Legrand ?

Et, sans attendre ma réponse, il hochait plusieurs fois son grand front nu, murmurait :

— Oui, oui, c'est bien...

Et, avec un signe bienveillant et distrait de la main, il passait.

Lorsque je lui demandais des nouvelles de sa santé :

— *Nil desperandum...* répondait-il en souriant, en élevant insensiblement la voix, afin de frapper d'admiration, sans doute, les solliciteurs qui se massaient autour de nous. Je n'ai jamais été enclin à l'hypocondrie, Dieu merci ! Le travail, voilà la véritable Jouvence !

A cette époque, je me liai avec Frœlich, dans le but d'apprendre de lui des détails touchant la première femme du ministre. Combien inutile ! mais cela m'intéressait... Frœlich l'avait bien connue ; il avait élevé le neveu des Courilof, Hippolyte Nicolaievitch, qui, à présent, occupait un poste important au ministère, sous les ordres du Cachalot. (On l'appelait « le petit Courilof », ou « Courilof le voleur », pour le distinguer de son oncle.)

Frœlich avait été son précepteur pendant quinze ans, jusqu'à la mort de la première Mme Courilof. A mes questions, il répondit, en hésitant légèrement :

— Vous connaissez la réputation de S. M. l'impératrice Alexandra ? Mysticisme, confinant à la folie... Telle a été la première femme de Son Excellence. Vers la fin de sa vie, elle était complètement insensée, glissa-t-il en touchant son front du doigt ; la vie intime de Son Excellence n'a pas été facile...

— Et maintenant ? demandai-je.

Frœlich poussa un petit sifflement de plaisir ; il avait des lèvres minces et serrées, des yeux inquiets ; il se frotta les mains, dit rapidement, en jetant de côté et d'autre des regards de crainte :

— La belle Margot... brisera la carrière de Son Excellence. Si la chute ne s'est pas produite encore, c'est uniquement à la protection et à l'amitié du prince Nelrode que Son Excellence le doit. Et, en vérité, n'est-il pas scandaleux que le ministre de l'Instruction Publique, dont la raison d'être est de préserver du mal la jeunesse russe, lui donne, par cette union, l'exemple d'une vie dissolue ?

Il tourna un instant son lorgnon entre ses mains, dit avec un accent de regret :

— Elle a été bien belle, paraît-il...

Un des jours qui suivirent, le prince Nelrode vint déjeuner aux Iles. Je reconnus le vieil homme aux fins yeux las que j'avais rencontré une fois dans la chambre du ministre, pendant la maladie de ce dernier. Le prince Nelrode, en 1888, avait échappé de justesse à un attentat terroriste. Son agresseur, un certain Grégoire Semenof, âgé de dix-sept ans, avait été maîtrisé facilement par les soldats du prince. Et celui-ci l'avait fait exécuter d'une manière assez barbare, mais expéditive, en lui faisant casser la tête, à coups de bottes, par ses hommes.

De lui on racontait également que, pendant une des insurrections polonaises, comme la place était couverte de cadavres, il les avait fait enfouir légèrement sous un peu de terre et, pendant six heures, ses escadrons avaient manœuvré sur le sol, écrasant et nivelant, jusqu'à ce que des jeunes gens tombés il ne restât rien que de la poussière.

Les autres convives étaient Langenberg, le baron Dahl, son fils Anatole et le ministre des Affaires Etrangères (un des trois ministres que l'on avait surnommés « étrangers aux affaires... », d'un mot qui avait fait fortune). Invraisemblablement vieux, courbé en forme de compas, blanc, léger comme une feuille morte, à la tête agitée d'un tremblement incessant, parfumé à la violette, il mit un quart d'heure à traverser la terrasse, appuyé au bras de Courilof; il avait, dans ses yeux à demi éteints, le regard rêveur et douloureux d'un très vieux cheval mourant de vieillesse dans son écurie. Sa conversation, dans le plus pur français classique, était à ce point parsemée de périphrases, d'euphémismes, d'allusions à des événements d'un autre âge, oubliés de tous, qu'elle paraissait inintelligible, non seulement à moi, mais à ses collègues, eux-mêmes. Il était visible, cependant, qu'ils l'écoutaient avec plaisir, comme s'il eût parlé une langue ancienne, poétique et indéchiffrable.

Je regardai Dahl avec curiosité : je savais par Frœlich qu'il était l'ennemi juré de Courilof et son successeur éventuel au ministère de l'Instruction Publique. Il était gros, de taille moyenne ; il avait le cou épais et court, un crâne rasé à l'allemande, les cils, les sourcils et les moustaches d'un blond décoloré qui se confondait avec la pâleur grisâtre du visage, des yeux glacés saillants, comme ceux de certains poissons, des narines fortement ouvertes, aspirant profondément l'air, l'expression insolente et anxieuse à la fois que l'on voit à certains escrocs internationaux. Frœlich m'avait fait entendre que, dans sa jeunesse, Dahl avait été un pédéraste notoire (Frœlich disait : « de mœurs suspectes ») mais, à présent, il semblait assagi, habité seulement par le désir d'une fortune brillante.

Marguerite Eduardovna occupait la place d'honneur. Fardée, peinte, serrée dans son long corset, son col de perles, son corsage de dentelles, elle se taisait, sans paraître écouter la conversation des hommes, regardait tristement devant elle.

Presque aussitôt, la conversation tomba sur l'empereur et la famille impériale. Les formules employées : « Sa Majesté a daigné me faire l'immense bonheur de m'admettre auprès d'Elle... Lorsque j'eus la joie profonde d'apercevoir notre bien-aimé Souverain... », étaient prononcées sur un ton de raillerie et de mépris, qui donnait aux paroles un caractère de bouffonnerie voulue. Nelrode, surtout, excellait à cela... Il regardait le portrait de l'empereur, placé en face de lui, au mur, dans son cadre d'or, un sourire effleurait ses lèvres, éclairait d'intelligence ses fins yeux las.

— Vous connaissez la bonté, la grandeur d'âme, l'angélique candeur de notre bien-aimé Souverain ?

Il laissait échapper un petit soupir ironique et se taisait. Les autres inclinaient la tête, et la même lueur amusée passait dans leurs regards. « Vous savez que l'empereur Nicolas est d'une faible intelligence » était la réelle signification de ses paroles ; tous le comprenaient, et chacun croyait être le seul à le comprendre. Courilof, visiblement, s'essayait à imiter cet accent sarcastique et nonchalant. Mais lui n'y parvenait pas, une haine à peine déguisée faisait trembler sa voix dès qu'il prononçait le nom de l'empereur. Dahl, alors, s'arrêtait un instant de manger et de boire, renversait la tête en arrière, considérait longuement Courilof, les yeux mi-clos, avec une attention ironique et soutenue, comme s'il le voyait danser sur une corde raide.

Parfois, l'un d'eux regardait à la dérobée le bout extrême de la table où étaient assis la fille de Courilof et le jeune Dahl, le baron Anatole, un grand garçon de vingt ans, blafard, la bouche ouverte, l'image d'un pourceau de Pâques, dont il avait les joues soufflées et les cils blancs. Celui-ci n'écoutait rien et parlait d'une voix monotone, aiguë, qui perçait de temps en temps comme une vrille le bruit des conversations.

— Le bal de la princesse Barbe était, dans son ensemble, plus réussi, *a grander affair*, que celui de la princesse Anastasie...

Dahl et Courilof fronçaient tous deux le sourcil et se détournaient avec affectation.

Une longue discussion commença au sujet de la censure. Il était tard, près de quatre heures, et ils ne songeaient pas à quitter la table. C'était une belle journée brillante ; le vent balançait les rosiers dans le parc ; par-delà les cimes des arbres, on apercevait Pétersbourg au loin, comme un sombre nuage éclairé d'or.

La censure à laquelle était soumise la correspondance privée était une coutume que le vieux ministre des

Affaires Etrangères estimait bonne, « ayant fait ses preuves ». Mais le prince la jugeait nuisible ; il dit :

— Un homme d'Etat ne doit pas se laisser aller à des sentiments d'animosité personnelle, et la coutume de déchiffrer la correspondance de ses adversaires ne peut qu'exciter ces sentiments. Lorsque je lis que notre cher Ivan Petrovitch me traite de tigre altéré de sang, j'ai beau être cuirassé par cinquante années passées, pour mes péchés, à la cour impériale de la sainte Russie, cela me vexe. Je ne suis qu'un homme... A quoi bon connaître trop de choses ? Il vaut toujours mieux, il est toujours plus sage de fermer les yeux.

— Excellente devise pour certains maris, dit le vieux ministre.

Ayant parlé, il rit : il ouvrit et referma plusieurs fois son râtelier dans le vide et fixa son regard sur Marguerite Eduardovna, avec l'expression rêveuse et triste d'un vieux cheval qui mâche des herbes et contemple mélancoliquement l'espace.

Courilof accusa le coup sans rien dire, sans un tressaillement, mais les coins de sa bouche s'affaissèrent et son visage parut plus pâle et plus dur.

La conversation avait repris à propos de la nomination à P... d'un nouveau général gouverneur, et il répondit à Dahl d'une voix dont le timbre n'était pas altéré. De longs instants après, seulement, alors que Nelrode racontait, au sujet de ce fonctionnaire, une anecdote quelconque de concussion et de vol, et que personne ne regardait plus mon Courilof, celui-ci soupira doucement, avec précaution, et baissa lourdement la tête.

Le prince porta à ses lèvres le verre de vin placé devant lui, le respira sans le boire, comme un bouquet, le reposa et dit, en haussant les épaules de son geste familier :

— Qui donc S. M. l'empereur Nicolas n'a pas nommé général gouverneur ! *O tempora ! o mores !* Ainsi des croix de Saint-Georges, que l'on distribue, à présent, comme des fleurs de cotillon ! Du temps de S. M. l'empereur Alexandre III...

Il s'interrompit, soupira, murmura après un temps de réflexion :

— Triste, bien triste jour pour la Russie que celui de la mort de ce souverain !

— Certes, fit Courilof avec chaleur : *Juvenile consilum, latens odium, privatum odium, bhœc tria omnia regna perdiderunt.* Cependant, personne ne vénère et, j'oserai le dire, n'adore plus que moi S. M. l'empereur Nicolas, mais il est malheureusement exact qu'une certaine douceur, une certaine noblesse de caractère, s'accordent mal avec l'exercice du pouvoir absolu.

— Mais c'est très gentil d'être noble et délicat, dit le prince en crispant légèrement ses lèvres, avec un accent inimitable de bienveillant mépris, ainsi que Sa Majesté, qui, dernièrement, a accordé à l'empereur Guillaume un traité commercial très avantageux pour l'Allemagne, mais qui l'est infiniment moins pour la Russie... Mais Sa Majesté, notre bien-aimé empereur Nicolas, n'avait rien pu refuser à l'empereur Guillaume, qui, à ce moment, était son hôte, comme Il m'a fait l'honneur de me le dire à moi-même.

— *Tamen, semper talis*, murmura Courilof.

— Les princes, prononça lentement le vieux ministre des Affaires Etrangères, sont, je l'ai remarqué dans ma vie si longue, trop enclins à suivre les nobles penchants de leurs cœurs magnanimes. Il incombe à leurs ministres de mettre d'accord ces nobles élans avec les réalités pratiques et les nécessités économiques.

Il sourit et me parut tout à coup infiniment moins

bête et moins inoffensif que je ne l'avais cru ; dans ses yeux à demi éteints, un éclair rapide passa. En cet instant, son regard tomba sur moi : j'étais éclairé par un rayon de lumière ; ce fut la raison, sans doute, pour laquelle mon visage, surgi de l'ombre, frappa entre tous ses yeux presque aveugles ; il me fit un signe de tête.

— Monsieur s'instruit, dit-il avec cette expression bienveillante, railleuse et méprisante à la fois que mon Courilof essayait d'imiter sans y parvenir.

Sur un regard de son mari, Marguerite Eduardovna s'était levée ; j'allais la suivre, mais Courilof me rappela :

— Restez. Le prince voudrait vous demander un calmant pour son asthme.

Je me rassis et, au bout de peu de temps, ils m'oublièrent. Moi-même, je cessai de les écouter. J'étais las. Ils fumaient et parlaient plus fort. J'entendais le rire brusque de Dahl, la voix du Cachalot et celle du prince. Je me souviens, je songeais à Fanny, aux dirigeants de Genève... Je regardai le soleil dans le parc et je me pris à compter machinalement... Juillet, août, septembre... « Les cérémonies, les fêtes publiques, ne commenceraient vraisemblablement qu'à l'automne... » Je ressentais une sorte de trouble tristesse. Au même instant, la voix de Nelrode me frappa (on était à la veille de la guerre russo-japonaise) :

— Personne ne veut la guerre. Ni le Souverain ni les ministres. D'ailleurs, personne, jamais, ne désire ni la guerre ni l'accomplissement d'aucun autre crime, mais cela n'empêche jamais rien. Car au pouvoir sont de faibles êtres humains, et non des monstres altérés de sang, comme se l'imagine le peuple. *Lord*, combien cela serait préférable !

Il prit par le bras le vieux ministre des Affaires Etrangères :

— Cela m'échauffe la bile ! Ces enfants, ces incapables... Et pourtant !... Tout cela passera si vite ! Et nous de même... Et après ?

Il haussa les épaules d'un mouvement las, récita, en fermant à demi les yeux :

Admets que ta vie ait été entièrement selon tes souhaits. — Et après ?

Admets que tu aies lu le livre de la vie jusqu'au bout. — Et après ?

— Seigneur ! Seigneur ! que faisons-nous dans cette galère, nous autres qui ne sommes pas des bêtes avides ? Nous usons notre vie à ces courses vaines, à la faveur, à l'amitié du Souverain.

— Vous êtes jeune encore, dit le vieux ministre avec amertume. Lorsque vous aurez atteint, comme moi, l'extrême limite de vos jours et que vous verrez la froideur, l'inimitié des princes remplacer la bienveillante confiance dont ils vous avaient honoré !... Savez-vous que, depuis Noël dernier, je n'ai pas été admis à partager, dans l'intimité, les repas des Souverains ? Je sens, s'exclama-t-il tout à coup, avec une véhémence extraordinaire, un accent désespéré d'amoureux trahi qui me fit sourire, je sens bien que le passé ne peut pas revenir ! Je ne puis pas sacrifier le peu de temps qui me reste à vivre à ces maîtres ingrats. Cela me tue, je vous le dis en vérité, cela me tue lentement !...

Il s'arrêta, et il me sembla voir briller une larme dans ses yeux. Je me retournai, je le regardai de plus près. Effectivement, ces prunelles au regard lointain, vitreux de très vieil animal, laissèrent échapper une larme. J'éprouvai un sentiment de pitié et d'ironie.

Cependant, Courilof avait sorti d'un meuble fermé à clef des estampes japonaises obscènes, et ils se penchaient tous autour de lui, avec des rires nerveux, les mains agitées de tremblements.

Longtemps après cela, ils parlèrent de femmes, et je regardais Courilof. Un autre homme encore, les yeux étincelants, la voix sourde, les doigts frémissants...

— Il y a, dit le prince, une nouvelle chanteuse, Villa Rodé, une fille de quinze ans, laide et maigre encore, mais les plus beaux cheveux du monde, et la voix... Des pièces d'or jetées sur un plat de cristal n'ont pas un son plus pur, plus éclatant...

— Villa Rodé, fit Dahl.

Il s'interrompit à dessein, regarda Courilof, sous ses paupières à demi baissées :

— Personne ne sait plus chanter, à présent que Marguerite Eduardovna est partie !

Courilof fronça les sourcils et, brusquement, son animation tomba ; son visage pâlit, redevint sombre et anxieux.

— Voyons, messieurs, sortons, allons au jardin, dit-il.

XIII

Sur la terrasse, j'entendis Langenberg qui achevait une conversation commencée avec Dahl.

— Il faudrait créer une compagnie secrète, qui s'engagerait à exterminer ces damnés socialistes, révolutionnaires, communistes, libres penseurs, tous les juifs, naturellement... On pourrait enrôler d'anciens bandits, des criminels de droit commun, en leur promettant la vie sauve. Ces gens, la canaille révolutionnaire, ne méritent pas plus la pitié que des chiens enragés...

Courilof et le prince s'étaient arrêtés et l'écoutaient parler en souriant.

— Diable ! mon cher, comme vous y allez, dit le prince. Nous en sommes loin, hélas !

Ils descendirent au jardin. Dahl, Langenberg et le vieux ministre des Affaires Etrangères partirent bientôt. Courilof et le prince restèrent seuls.

J'entendis Courilof dire :

— Comment voulez-vous que nous ne versions pas, vous et moi, dans le libéralisme qu'on nous reproche à la cour ? En entendant de pareilles stupidités, le cœur se soulève.

Le vieux prince, qui avait demandé la permission de

se couvrir, car la chaleur était vive pour cette époque de l'année, s'arrêta. Il était debout au milieu de l'allée, bordée de roses blanches. Je marchais derrière eux, mais ils ne me remarquaient pas. Il se coiffa avec soin d'une casquette anglaise, à grande visière doublée de soie verte, l'abaissa sur ses yeux, dit en français, d'une voix fatiguée et profonde :

— Les chiens aboient, la caravane passe.

Il frappa fortement la terre de sa canne.

— Je ne me repentirai jamais d'avoir été humain, dit-il. Surtout à mon âge, Valerian Alexandrovitch, vous verrez, c'est une grande consolation.

Il avait de longues mains pâles que je vois encore. J'imaginai avec force le matin où il avait lancé l'escadron sur la petite place de Pologne, couverte de sang et de morts.

Alors, je l'écoutais avec une incrédulité ironique. Plus tard, – quand j'eus pris leur place, – je compris qu'il n'y avait pas eu une once d'hypocrisie dans les paroles de ces hommes. Ils avaient, comme nous tous, la mémoire courte.

Ils parlèrent des attentats révolutionnaires. Ils s'étaient assis sur un banc, à un endroit que l'on appelait le rond-point des Muses. Je revois ces ifs taillés en formes bizarres, je sens encore l'odeur du buis. Je m'étais glissé derrière la haie. En étendant la main, je les eusse touchés. J'écoutais leurs paroles avec une curiosité passionnée.

— On me prévient souvent, dit le prince, que des attentats se préparent, et des gens m'écrivent ou me font dire : « N'allez pas ici, ou là. » Je ne les écoute jamais. Mais je dois dire que, lorsque je suis chez moi, que je me couche le soir, sachant que, le lendemain, je dois aller à tel ou tel endroit, j'ai peur. Mais aussitôt que je monte dans ma voiture, c'est fini.

— Moi, dit Courilof, chaque matin, en me réveillant, je fais ma prière. Je considère la journée qui commence comme si elle était la dernière de ma vie. En rentrant, le soir, je remercie Dieu pour la journée de répit qu'il m'a accordée.

Il se tut. Il avait parlé de ce ton de banalité solennelle que je connaissais bien, mais sa voix tremblait.

Le prince dit, d'un accent inimitable :

— Ah ! oui, vous croyez en Dieu...

Il eut un petit rire fatigué et murmura :

— Moi, je fais de mon mieux, mais je vous jure bien que je ne sais pas pourquoi. J'y goûte une certaine satisfaction personnelle, qui n'est pas celle du devoir accompli, Valerian Alexandrovitch, mais l'amer plaisir de constater, une fois de plus, à quel point les hommes sont bêtes... En ce qui concerne la postérité et toutes ces balivernes, je ne m'en occupe pas. Combien on a crié à cause de cette histoire de l'anarchiste Semenof ! Je lui ai épargné quelques mois de souffrance, pourtant, l'angoisse et la terreur de l'exécution, et, en même temps, j'ai évité ces procès qui ne font que propager dans le peuple les idées contre lesquelles nous voulons lutter. De même, la Pologne... Fouler les morts aux pieds des chevaux ne pouvait leur faire aucun mal, vous l'avouerez, et, inspirant ainsi une terreur salutaire, j'ai coupé net l'insurrection et sauvé des vies humaines. Plus je vais, plus j'attache de prix à la vie humaine... et moins à ce qu'il est convenu d'appeler les « idées », continua-t-il d'un ton rêveur. En un mot, j'ai agi logiquement. Voilà ce que les hommes ne peuvent pas pardonner.

— Moi, j'ai confiance dans le jugement de la postérité, murmura Courilof. La Russie oubliera mes ennemis, mais elle ne m'oubliera pas. Tout cela est dur, tout cela est difficile, répéta-t-il en soupirant. On dit qu'il faut savoir verser le sang, et c'est vrai...

Il s'interrompit, puis dit faiblement :

— Pour une cause juste...

— Je ne crois pas non plus beaucoup aux causes justes, soupira le prince. Mais je suis beaucoup plus vieux que vous, il est vrai ; il vous reste des illusions...

— Il est difficile, il est dur de vivre, répéta tristement le ministre.

Il se tut un instant et, tout à coup dit en baissant la voix :

— J'ai tellement d'ennuis...

Je me penchai davantage. C'était mon premier pas réellement dangereux dans la maison du ministre. Mais j'éprouvais une ardente curiosité...

Le prince toussa légèrement, tourna la tête vers Courilof. Je les voyais tous les deux à quelques mètres de moi, à travers les interstices du buis. Je retenais mon souffle.

Courilof commença à se plaindre, dit qu'il était surmené, malade, entouré d'ennemis et d'intrigues.

— Pourquoi ne vous ai-je pas écouté ? Pourquoi me suis-je marié ? répéta-t-il plusieurs fois amèrement. Un homme d'Etat doit être invulnérable. *Ils* savent, dit-il en appuyant fortement sur les mots, *ils* savent quel est l'endroit douloureux et, à chaque pas en avant que je fais, c'est à cette place qu'*ils* frappent. Ma vie est devenue un enfer. Si vous saviez quelles saletés, quels grossiers mensonges, sont débités journellement sur le compte de ma femme !

— Je sais, mon pauvre ami, je sais, dit doucement le prince.

— Pour les vingt ans d'Ina, continua Courilof, je compte, comme il est de tradition chez nous, donner un bal. Vous savez que Leurs Majestés ne sont plus revenues chez moi depuis la mort de ma femme. Concevez-vous, jeta-t-il d'une voix tremblante, que nos Souverains m'ont fait dire qu'il serait désirable, afin qu'Ils pussent assister à ce bal, que Marguerite Eduardovna en fût absente ! Et j'ai dû sourire, dévorer l'affront en silence. Il est inouï qu'un homme occupant une situation comme la mienne, devant qui tremblent des milliers d'hommes, soit forcé de s'incliner devant cette tourbe, cette canaille dorée qui peuple la cour, continua-t-il de son accent pompeux. Ah ! je suis las du pouvoir ! Mais j'accomplis mon devoir, mon devoir en restant, répéta-t-il plusieurs fois avec force.

— Il est certain que si Marguerite Eduardovna pouvait quitter momentanément la Russie, commença le prince.

— Non, dit Courilof. J'aime mieux finir tout d'un coup, et partir, moi aussi. Elle est ma femme devant Dieu. Elle porte mon nom. Enfin, pourquoi se mêlent-ils du passé ? Est-ce qu'ils le connaissent seulement ? Quand ils ont dit « femme légère », ils ont tout dit. Je ne parle pas de l'amour, je ne parle pas des premières années ; mais le dévouement dont elle m'a entouré, le réconfort, le secours qu'elle a été pour moi pendant quatorze ans, moi seul je peux en être juge. Ma vie !... Ma malheureuse vie !... Ma pauvre femme, vous savez que je l'ai soignée jusqu'au bout ; personne, pas même vous, ne peut savoir combien j'ai pu...

Il voulait dire : « souffrir », mais le mot ne passait pas ses lèvres orgueilleuses. Il se raidit, fit un mouvement las de la main :

— Elle est morte. Dieu ait sa pauvre âme ! Mais, moi, n'avais-je pas le droit de refaire ma vie comme je l'entendais ? Je vois, à présent, que la vie privée d'un homme d'Etat appartient au public, comme son travail. Dès que l'on veut garder pour soi un petit coin de sa vie, c'est justement là que les ennemis pénètrent.

— Margot, dit rêveusement le vieux prince, cette femme, même aujourd'hui vieille, fanée, garde un charme étrange... Sans doute, celui qui s'attache aux êtres que l'on a beaucoup aimés...

— Moi, dit Courilof d'un accent de sincérité qui me frappa, je l'ai aimée autrefois ; vous savez combien de folies j'ai pu faire pour elle. Mais cela ne peut pas se comparer au sentiment que j'éprouve à présent. Dans la vie, je suis seul, Alexandre Alexandrovitch, nous sommes tous seuls. Plus haut nous nous trouvons placés, plus complète est notre solitude. En elle, Dieu m'a donné une amie. J'ai beaucoup de défauts, l'homme est un tissu de fautes et de misères, mais je suis loyal. Je n'abandonne pas mes amis.

— Méfiez-vous de Dahl, dit le prince. Il veut votre place, et mon opinion est qu'ils n'attendent qu'un faux pas de votre part pour la lui donner. D'ailleurs, Dahl est votre ancien collègue au ministère. Qui donc nous donnerait des crocs-en-jambe, si ce n'était nos collègues ? Pourquoi ne voulez-vous pas marier votre fille à son crétin de fils ? Une riche dot le calmerait. Il ne cherche que l'argent dans le pouvoir.

— Ina a la plus vive répugnance pour cette union, dit Courilof avec une hésitation dans la voix. D'ailleurs, cela n'arrangerait rien, je le crains. Dahl est de ces chiens insatiables qui ne prennent pas seulement la viande, mais l'os entier.

— Vous connaissez, demanda le prince, son dernier chef-d'œuvre ? Vous savez que depuis quelque temps, à la cour, ils ont une marotte : la Russie aux Russes. Pour obtenir une concession de chemin de fer, par exemple, il est nécessaire d'avoir un nom qui se termine en *of*. Le baron a déniché quelque part un misérable petit prince ruiné, mais qui porte un nom ancien. En son nom, il obtient des concessions de mines ou de chemins de fer, qu'il revend, moyennant une honnête commission, à des juifs ou à des Allemands. Deux mille roubles au prince, et passez, muscade ! Amusant, vous ne trouvez pas ?

— Je m'étonne parfois, dit Courilof, de l'extraordinaire avidité de ces gens. Un homme ordinaire a le droit d'être avide, car il sait qu'autrement il périra de faim. Mais ces gens qui ont tout : l'argent, les protections, les terres, ils n'ont jamais assez ! Je ne comprends pas cela.

— Chacun a ses faiblesses, la nature humaine est incompréhensible. On ne peut même pas dire avec certitude d'un homme qu'il est bon ou mauvais, bête ou intelligent. Il n'y a pas d'homme bon qui n'ait commis dans sa vie une action cruelle, ni de méchant qui n'ait eu un mouvement de bonté, ni d'homme intelligent qui n'ait jamais fait de sottises, ni d'imbécile qui n'ait jamais agi avec intelligence ! D'ailleurs, cela donne à la vie sa diversité, son imprévu. Cela m'amuse encore...

Ils s'étaient levés en parlant et quittaient le rond-point. J'attendis quelque temps et je partis à mon tour.

XIV

Le reste de la journée, ils demeurèrent au jardin, gardant auprès d'eux Vania, le fils de Courilof, qui les écoutait avec ennui.

— Pour celui-là, la vie sera plus douce, dit le ministre.

J'entendais toutes leurs paroles, portées par l'air tranquille d'été.

— Nous traversons un moment difficile, mais je suis convaincu que, si seulement l'opinion publique nous aidait, nous pourrions remonter le courant.

— Pour moi, vous ne croiriez pas, dit ensuite Courilof, quel réconfort je puise dans ces témoignages de sympathie qui me sont adressés de toutes parts. La société est lasse de flirter avec la révolution. Je pense qu'il faut compter sur dix, douze années difficiles. Mais l'avenir est merveilleux.

— Mon cher... murmura le prince d'un air de doute.

Mais il se tut. Courilof caressait pensivement les cheveux de son fils, qui, lui, bâillait nerveusement à la dérobée et frémissait de tout son corps, avec ces mouvements brusques, réprimés par force, cette espèce de répugnance instinctive que montrent les enfants touchés par de vieilles mains.

Répondant à de silencieuses réflexions que je rétablissais assez bien, Courilof dit :

— L'impératrice paraît affligée par la naissance de la grande-duchesse Anastasie. Cette quatrième déception est dure. Leurs Majestés sont jeunes encore, il est vrai...

Il y eut un long silence. Puis le prince secoua la cendre de sa cigarette et dit avec une moue :

— J'ai vu, hier, S. A. le grand-duc Michel. Celui-là est vraiment le portrait de son auguste père...

Tous deux, à présent, regardaient en souriant le petit garçon, comme s'ils voyaient à travers lui l'image de l'avenir : l'empereur mourant sans héritier, son frère, le grand-duc Michel, lui succédant sur le trône, une ère de paix et de bonheur pour la Russie. Du moins, Courilof songeait-il ainsi. Les pensées du prince étaient plus difficiles à comprendre... Je me rappelle bien cette journée...

Enfin, le prince se souvint de moi, me fit appeler et me demanda un remède pour la toux chronique dont il souffrait. Je lui montrai sa cigarette et dis qu'il ne fallait pas fumer.

Il se mit à rire.

— Cette jeunesse va toujours aux extrêmes. On peut ôter la vie aux hommes, mais non leurs passions.

Il avait une voix précise et une manière brillante et sèche de s'exprimer. Je lui proposai un calmant. Il accepta, me remercia. Je m'éloignai. Je restai longtemps dans ma chambre, rêvant et me demandant si nos songeries et nos spéculations d'avenir étaient justes ou les leurs. Je me sentais extrêmement triste et las, mais j'étais traversé par des mouvements de férocité joyeuse, qui m'étonnaient moi-même...

Quand je revins au jardin, il était tard, et le crépuscule de printemps commençait. Le ciel était limpide et éclatant, comme un profond et transparent cristal rose. A ces moments, les Iles étaient d'une grande beauté. Les petites lagunes que formaient les eaux, entre deux langues de terre, luisaient faiblement et reflétaient le ciel.

La voiture du prince était avancée ; il se tenait assis dans le fond du landau, une couverture de fourrure sur les jambes et, à côté de lui, des roses blanches qu'on venait de couper pour lui et qu'il tenait entre ses deux mains, en les caressant.

Je lui remis la formule du calmant. Il me demanda :

— Vous êtes Français, monsieur ?

— Suisse.

Il hocha la tête.

— Le beau pays... Je passerai un mois à Vevey, cet été...

Il fit un petit signe au valet de pied, la portière se referma. La voiture partit.

En revenant à Saint-Pétersbourg, sur la route, aux portes de la ville, une femme, l'ex-fiancée de Grégoire Semenof, qui avait attendu quinze ans cette heure, lança une bombe dans la voiture du prince. Les chevaux, le cocher, le vieil homme, qui respirait tranquillement ses roses, tout cela vola en éclats avec la meurtrière elle-même.

XV

Courilof eut connaissance de l'attentat le soir même. Nous dînions. Un officier de la suite du prince entra. Dès qu'il eut entendu le bruit du sabre sur les dalles, Courilof parut pressentir l'annonce d'un malheur. Il eut un sursaut, un geste effaré, si brusque, que le verre de vin qu'il tenait à la main lui échappa et se fracassa contre le pied de la table. Mais il se maîtrisa aussitôt, se leva et sortit sans rien dire. Marguerite Eduardovna le suivit.

De ma chambre, la nuit, je voyais distinctement sa fenêtre allumée. Je le vis marcher lentement, d'un bout à l'autre de la pièce, jusqu'au matin. Je voyais son ombre s'approcher des vitres, regarder, sans doute, au dehors, se tourner lentement et se perdre dans le fond de la pièce, puis revenir sous mes yeux.

Le lendemain, quand il me vit, il se contenta de murmurer, du bout des lèvres :

— Vous savez ?...

— Oui.

Il mit sa tête sur sa main, leva vers moi ses gros yeux pâles.

— Je le connaissais depuis trente ans, dit-il enfin.

Il n'ajouta rien, se détourna vivement, puis il fit un geste las de la main.

— Voilà... Fini...

Le lendemain, je reçus un message de Fanny, qui m'étonna et m'inquiéta, car elle ne devait pas se départir d'une grande prudence, et il était entendu qu'elle ne communiquerait avec moi que pour me fixer la date de l'attentat.

Elle me donnait rendez-vous à Pavlovsk, à une heure de Saint-Pétersbourg, dans le hall du Kursaal.

Il se donnait à Pavlosk un récital de piano et de violon. Nous nous rencontrâmes dans le vestibule qui précédait la salle de concert, où une multitude pressée écoutait silencieusement la musique de Schumann. Je me rappelle encore ces accords brillants et rapides.

Fanny s'était de nouveau déguisée en une espèce de paysanne. Je lui dis assez vivement que nous jouions un jeu suffisamment théâtral et de mauvais goût, sans le compliquer davantage par de dangereuses mascarades.

De fait, une longue expérience révolutionnaire m'a appris par la suite qu'il n'est rien de plus sûr pour faire avorter une entreprise que les précautions excessives. Sous le fichu rouge, le long nez sémite et la bouche épaisse la trahissaient plus sûrement qu'un passeport authentique n'eût pu le faire. Mais la foule était dense ; on ne la vit pas, ou on la prit pour une servante.

Nous sortîmes dans le parc, où le brouillard, à la tombée du jour, formait un nuage épais. Nous nous assîmes sur un banc. Le brouillard nous entourait d'un mur compact : à deux pas de nous, un if, jusqu'à mi-hauteur du tronc, était masqué par une vapeur blanche, épaisse, mousseuse, comme le lait qui sort des tiges coupées de certaines herbes. Et, de même, l'air avait une odeur végétale et un goût sucré qui m'irritaient la gorge.

Je toussais. Fanny ôta, avec un mouvement d'impatience, le mouchoir rouge de son front.

— Mauvaises nouvelles, camarade. Lydie Frenkel, qui gardait de la dynamite chez elle, a été tuée par une explosion. A Genève, ils se sont décidés à me confier cette partie du travail. Je me procurerai les bombes au moment voulu. L'attentat sera vraisemblablement fixé pour l'automne. J'ai des lettres de Suisse pour toi.

Je pris les lettres, les mis machinalement dans mes poches.

Fanny rit nerveusement :

— As-tu donc l'intention de garder ces lettres dans ton pardessus pour qu'elles tombent aux mains des mouchards ? Lis-les et brûle-les.

Je les lus ; elles ne présentaient aucun intérêt. Néanmoins, je les brûlai à la pointe de ma cigarette et dispersai la cendre. Fanny se pencha vers moi.

— Est-ce vrai, demanda-t-elle avidement, est-ce vrai, camarade, que tu as vu le prince Nelrode quelques heures avant sa fin ?

— C'est vrai.

Elle me posa des questions d'une voix basse et étouffée. Ses yeux verts étincelaient d'une flamme sauvage et morne. Je dis que j'avais entendu parler entre eux le prince et le ministre.

Elle m'écoutait sans rien dire, mais il me semblait suivre sa pensée dans ses yeux. Elle s'était approchée de moi et me regardait fixement.

— Comment ? dit-elle enfin.

Elle s'arrêta ; elle semblait ne pas trouver de mots pour exprimer son horreur :

— Qu'est-ce qu'ils ont dit ?

Elle se recula nerveusement. Le brouillard, en cet instant, était devenu si dense que le visage de Fanny parut brusquement à demi dissous dans la brume. J'entendais sa voix frémissante de passion et de haine. Moi-même, j'étais las et irrité. Elle me pressait de lui répondre. Je dis avec humeur qu'ils me semblaient avoir prononcé quelques paroles justes et beaucoup de sottises. Mais je comprenais qu'il était inutile de lui expliquer comment ces deux hommes d'Etat, redoutés et haïs, avec leurs erreurs, leur inconscience et leurs rêveries, m'avaient paru des êtres bornés et misérables comme tous les hommes et moi-même... Elle eût cherché dans mes propos un sens obscur et caché qu'ils n'avaient pas.

Cependant, la musique avait cessé ; la foule sortait de la salle de concert et s'écoulait lentement dans les allées du parc. Nous nous séparâmes.

XVI

Il se trouva que, lorsque la veuve Aarontchik, la vieille juive recommandée par Marguerite Eduardovna, se présenta, j'étais dans la chambre de Courilof : il se sentait mal ; sa femme m'avait prié d'interrompre d'autorité l'audience si je constatais une fatigue, un fléchissement. Quatre jours s'étaient écoulés depuis l'attentat. Pendant tout ce temps, les affaires avaient été interrompues. Au domicile du prince, au chevet du cercueil qui contenait ses restes déchiquetés, les prêtres lisaient les prières pour le repos de l'âme du mort, Courilof passait là la moitié de ses journées et le reste à l'église.

Enfin, le cinquième jour, l'enterrement eut lieu.

On avait arrêté plusieurs des complices présumés de la meurtrière. Courilof voulut assister à tous les interrogatoires « de ces monstres, de ces tigres à face humaine », comme il disait. Par la suite, deux d'entre eux furent pendus.

Courilof rentrait harassé, ne parlait pas, mais criait dès qu'il avait à s'adresser à un domestique ou à un employé du ministère. Avec moi seul, il était toujours patient et courtois. Véritablement, il paraissait éprouver à mon égard une espèce de sympathie.

L'audience accordée à la veuve Aarontchik avait été retardée comme les autres.

Courilof la reçut dans une immense pièce que je ne connaissais pas encore, encombrée de portraits de l'empereur et des souvenirs de Pobiedonostsef et d'Alexandre III, mis sous verre et étiquetés comme des bocaux de pharmacie. Les grands rideaux écarlates, à demi baissés, laissaient entrer une lumière éclatante et qui semblait teinte de sang frais. Sa figure pâle, immobile, sortant du veston d'uniforme de toile blanche, des décorations à son col, d'autres épinglées à son côté, sa main posée sur la table, avec son lourd anneau d'or ciselé, orné d'une pierre rouge qui retenait la lumière, il formait une image barbare et dure qui frappait le regard.

On introduisit une petite femme maigre, tremblante, les cheveux blancs, la figure crochue et toute terminée en pointes, comme un bec, vêtue d'habits de deuil qui verdissaient au soleil. Elle fit trois pas et s'arrêta, hébétée.

Le ministre demanda d'une voix de basse, profonde et douce, qu'il prenait parfois pour parler aux subalternes qui lui étaient recommandés :

— Vous êtes bien la veuve Sarah Aarontchik, de religion judaïque ?

— Oui, dit-elle dans un souffle.

Et, croisant sur son ventre ses mains qui tremblaient visiblement, elle demeura immobile.

— Approchez.

Elle ne paraissait pas comprendre ; elle levait vers lui ses yeux clignotants, pleins de résignation et d'une sorte d'horreur sacrée.

Il avait baissé les paupières, rejeté la tête en arrière, et il tapotait du bout des doigts, d'un air absent, une lettre ouverte sur la table, attendant qu'elle parlât.

Elle se taisait toujours.

— Voyons, madame, appela-t-il, vous aviez demandé une audience ? Vous vouliez me parler. Qu'avez-vous à me dire ?

Elle murmura :

— Excellence, j'ai connu votre épouse, Marguerite Eduardovna...

— Je sais, interrompit-il sèchement. Cela n'a aucun rapport, je présume, avec l'affaire qui vous amène ?

— Non, balbutia-t-elle.

— Alors, au fait, madame, au fait. Mes instants sont précieux.

— L'affaire Jacques Aarontchik, Excellence.

Il fit signe qu'il savait.

Comme elle ne parlait plus, il soupira, prit le dossier, le feuilleta un instant, lut rapidement :

— « Je, soussignée... dénonce Pierre Mazourtchik, assesseur de deuxième classe... Hum !... Hum !... Coupable d'avoir séduit mon fils... »

Il sourit légèrement, prit un autre placet sur la table, lut :

— « Je, soussigné, Vladimirenko, professeur du lycée de..., dénonce le nommé Jacques Aarontchik, de religion judaïque, âgé de seize ans, coupable d'avoir excité ses condisciples à la révolte et à des actes subversifs. » Reconnaissez-vous ces faits comme exacts ?

— Excellence, le malheureux enfant a été victime d'un agent provocateur. J'avais cru bien faire, j'avais dénoncé Mazourtchik, son répétiteur, qui lui faisait lire ces choses... ces livres... Je suis une veuve, une pauvre femme. Je ne savais pas, je ne pouvais pas savoir...

— Personne ne vous reproche rien, dit Courilof, et son ton de hauteur glacée acheva de figer la femme. Que voulez-vous ?

— Je ne savais pas que j'avais affaire à un agent de Votre Excellence. A son tour, il a dénoncé mon fils. Je suis veuve et pauvre.

Je regardai ses mains croisées devant elle; elles étaient noires, crevassées, rongées comme des plaies; cela faisait une impression horrible, et je vis que Courilof les regardait également, en frissonnant, mais elles le fascinaient, en quelque sorte. Cependant, ce n'était pas une marque de maladie rare, mais celles de la lessive, du travail, de l'eau bouillante, de l'âge.

Le ministre fronçait les sourcils et je voyais sa main lourde et impatiente bousculer les dossiers sur la table. Enfin, il dit :

— Votre fils a été expulsé. J'examinerai s'il y a lieu de croire à son repentir sincère, et je lui donnerai l'autorisation de poursuivre ses études, s'il s'en montre digne. Il a été, jusqu'à présent, le meilleur élève du lycée, comme je le vois d'après les rapports, et son jeune âge... Enfin, vous avez fait ce grand chemin, seule et âgée; si vous répondez de votre fils, de ses opinions politiques... dit-il d'une voix qui devenait de plus en plus sèche et nerveuse.

Elle se taisait. Il fit un signe de tête, indiquant que l'audience était terminée.

Alors, elle leva pour la première fois les yeux.

— Votre Excellence, pardon, il est mort maintenant...

— Qui cela ? demanda Courilof.

— Lui... mon petit... Jacques...

— Comment ? votre fils ?

— Il s'est tué, il y a deux mois, Excellence, par déses... par désespoir, bredouilla-t-elle.

Et, brusquement, elle se mit à pleurer. Elle pleurait d'une façon humble et ignoble, avec un bruit de ronflements qui soulevait le cœur. Sa figure minuscule, rouge foncé, apparut en un instant, trempée de larmes, avec la bouche flétrie, tremblante, mouillée, ouverte, que la violence des sanglots paraissait déchirer et tordre d'un côté.

A mesure qu'elle pleurait, le visage de Courilof devenait plus lourd et plus pâle.

— Quand est-il mort ? demanda-t-il enfin de sa voix métallique et dure, quoique la femme l'eût dit, mais il semblait dérouté et parlait avec une rapidité machinale.

— Il y a deux mois, répéta-t-elle.

— Alors, qu'est-ce que vous êtes venue me demander ?

— Un secours. Il allait m'aider, il finissait le lycée. Il gagnait déjà quinze roubles par mois. Maintenant, je suis seule. J'ai trois petits enfants encore à élever, Votre Excellence. Jacques s'est tué parce qu'il avait été chassé du lycée par erreur. J'apporte là une lettre du directeur du lycée, disant que l'erreur est manifeste, que les livres et les papiers saisis dans la chambre de mon fils y avaient été disposés à dessein par Mazourtchik... par l'agent de Votre Excellence, à qui nous ne pouvions pas payer la somme de cent roubles qu'il réclamait. J'ai là les faits, les dates, les aveux du coupable.

Elle tendit les papiers au ministre, qui les prit entre deux doigts comme on soulève un chiffon, les rejeta sur la table sans les regarder.

— Si j'ai bien compris, vous m'accusez de la mort de votre fils ?

— Votre Excellence, je demande un secours. Il avait seize ans. Vous êtes père, Votre Excellence.

Elle tremblait si fort que les paroles passaient avec peine entre ses lèvres haletantes.

— Mais pourquoi diable venez-vous ici ? cria-t-il brusquement. Votre fils, votre fils, est-ce que j'y peux quelque chose ? Il est mort, Dieu ait son âme ! voilà tout. Allez-vous-en, vous n'avez pas le droit de venir me troubler avec vos histoires, vous entendez ? tonna-t-il. Allez-vous-en !...

Il criait, hors de lui, les yeux remplis d'une sorte d'épouvante, et il secouait les objets sur la table, avec une force telle que les lettres volèrent à terre.

La vieille juive devint très pâle, fit un mouvement et, tout à coup, on entendit de nouveau sa voix humble et tenace :

— Seulement un petit secours, Excellence ; vous êtes père...

Je regardai Courilof et je lui vis faire un mouvement de la main.

— Allez, dit-il, vous laisserez votre adresse à la chancellerie. Je vous enverrai quelque argent.

Brusquement, il renversa sa tête sur le dossier du fauteuil, éclata de rire :

— Allez !

Elle disparut. Il continuait à rire, un rire triste et nerveux qui sonnait d'une façon étrange.

— Ignoble vieille femme, vieille idiote, répéta-t-il avec un frémissement de dégoût et de colère. Allons, on va lui payer son fils... Des êtres pareils méritent-ils la pitié ?

Je ne répondis pas et il ferma les yeux, comme il le faisait souvent, avec une brusque lassitude.

Je tâchai d'imaginer ses pensées. Mais, quand il eut levé les paupières, il avait repris son visage impénétrable. Je songeai, je m'en souviens, à la vieille juive et à l'abîme de désespoir, d'ignorance et de misère que son absurde démarche révélait. Et, ce jour-là, je ne sais pourquoi, je pensai pour la première fois, avec horreur, au meurtre de ce solennel imbécile.

XVII

Quelques jours passèrent, et l'histoire de la vieille juive commença à porter des fruits amers. Je ne sais si la douleur de Courilof à la mort du prince s'était doublée d'inquiétude au sujet de son propre sort. Je ne le pense pas : il était trop infatué de lui-même pour comprendre à quel point le vieil homme lui avait été utile, comment le prestige de son nom avait pu arrêter certaines intrigues. Pourtant, il me dit plusieurs fois, ces jours-là :

— Il était fidèle à ses amis... C'était un homme loyal, on pouvait compter sur sa parole. Cela est rare dans la vie, jeune homme... Vous verrez...

S'il avait conservé quelques illusions, les premières lettres anonymes, d'ailleurs, les lui ôtèrent vite.

Jusque-là, Dahl, craignant de déplaire au prince, avait différé sa campagne contre le ministre dont il convoitait la place. Le prince mort, le jeu commença.

Il se hâta d'aller raconter à la cour que le ministre de l'Instruction Publique avait été menacé par une vieille juive de Lodz de révélations scandaleuses, « touchant la jeunesse de la belle Margot. Elle a vécu à Lodz, autrefois, petite actrice en tournée ; elle s'y est fait avorter clandestinement par cette femme, une vieille accoucheuse, qui, apprenant son brillant mariage, est arrivée à Pétersbourg et a fait chanter le ministre. » Il en donnait comme preuve la somme d'argent que Courilof avait effectivement fait remettre à la vieille juive. Là-dessus, toutes les plus vieilles histoires sur le compte de Marguerite Eduardovna qui avaient couru la ville à l'époque de son mariage, mais discrètes, étouffées, éclatèrent au grand jour. Sans doute, beaucoup d'entre elles étaient vraies, à peine déformées ; on ne pouvait nier ses aventures de jeunesse ni sa liaison avec Nelrode. Cela, surtout, scandalisait l'opinion publique.

— Une laide, une sale histoire, disait Dahl avec dégoût.

On racontait qu'elle avait encore des amants, que Courilof les protégeait, « comme lui-même avait été protégé par son prédécesseur ».

— C'est une bonne nature... Elle se sert volontiers de sa grande influence auprès de son époux en faveur de ses anciens et nombreux adorateurs des deux plus élégants régiments de l'armée, les gardes à cheval et les chevaliers-gardes.

Cela, d'ailleurs, était partiellement exact. Mais on l'accusait également d'être la maîtresse du petit Courilof, Hippolyte, qu'elle ne pouvait pas souffrir, et, enfin, de pourvoir, « en épouse aimante », son vieux mari de fraîches filles. Cela était aussi absurde que la légende répétée par Fanny : « Les orgies infâmes dans la maison des Iles... »

Je m'étonnais sincèrement que ces racontars pussent trouver crédit auprès de gens qui connaissaient le ministre. Le pauvre Courilof, pieux, scrupuleux, lâche et prudent, était bien incapable de faire ce qu'on lui reprochait... Pourtant, ce n'était pas « un homme de mœurs pures », comme eût dit Frœlich. Sa vie privée était plus tranquille que celle de n'importe quel bourgeois de Suisse, mais elle n'avait pas dû être ainsi de tout temps. Son sang était ardent et ses passions violentes. Comme il ne les assouvissait plus, depuis des années, sans doute par scrupule religieux et par prudence, il lui était particulièrement odieux de voir devinées par ses ennemis les secrètes faiblesses qu'il s'efforçait de combattre... Il y a un côté de son caractère, d'ailleurs, que je n'ai jamais bien pu comprendre... un mélange de puritanisme sincère et de fourberie... Mais, pour le reste, il m'était transparent...

Au bout de quelque temps, les journaux s'emparèrent de l'histoire de la veuve Aarontchik. Ceux d'extrême droite accusaient Courilof de « libéralisme », de « concession aux idées révolutionnaires » parce qu'il avait secouru la mère d'un petit juif suspect. En revanche, les feuilles révolutionnaires éditées à l'étranger racontaient que le fils de cette femme avait été assassiné par des policiers, des provocateurs à la solde de Courilof, afin de détruire des papiers qui compromettaient certains hauts membres de l'enseignement.

L'empereur laissait faire. Il haïssait Courilof, autant que cet homme faible pouvait éprouver de violents sentiments. Il avait eu vent de certaines paroles imprudentes prononcées par son ministre; il devinait son espoir de voir un jour sur le trône son frère, le grand-duc Michel. (L'héritier Alexis n'était pas né encore, mais l'empereur et l'impératrice attendaient un fils avec une inébranlable foi.)

Enfin, Courilof, avec sa maladresse ordinaire, avait trouvé le moyen de se brouiller également avec son collègue de l'Intérieur. Les agents provocateurs appartenaient au ministère de l'Intérieur; leur chef ne pouvait pas pardonner à Courilof d'avoir désavoué un de ses hommes.

Toutes les lettres, les feuilles de tendances politiques

différentes, mais toutes également hostiles à Courilof, arrivaient matin et soir, sur sa table, par paquets.

Marguerite Eduardovna s'efforçait de les soustraire auparavant, mais, par une étrange fatalité, malgré toutes les précautions qu'elle prenait, elles semblaient tomber sous la main de son mari. Il ne les lisait jamais en face de nous et, parfois, les jetait ostensiblement. Mais il ne parvenait pas à détourner son regard, qui immédiatement s'emparait du titre de l'article souligné au crayon bleu : il appelait, d'un signe, le laquais :

— Au feu, ces ordures...

Et, tandis que l'on ramassait les feuilles éparses, il les suivait des yeux avec une curiosité dévorante, ses grosses prunelles pâles lui sortant de la tête, comme celles d'un animal dont deux fortes mains serrent le cou et qui se sent étouffer. Enfin, le domestique sortait, emportant le paquet. Courilof se tournait vers nous :

— A table ! A table !...

Tandis que les enfants parlaient à voix basse, il se taisait, nous regardait tour à tour, machinalement, sans nous voir ; parfois, il n'arrivait pas à maîtriser immédiatement le petit tremblement léger de ses lèvres. Il parlait alors avec brusquerie, scandant les mots d'une manière haineuse et méprisante, avec une violence contenue, d'une voix qui devenait de plus en plus cinglante et métallique. Et, à d'autres moments, il tombait dans de profondes rêveries, soupirait, caressait doucement les cheveux de son fils, assis à côté de lui.

Ces jours-là, il se montrait plus patient, d'humeur plus douce que de coutume. Il supportait avec résignation les cataplasmes bouillants que, d'après les prescriptions de Langenberg, je lui appliquais sur le foie, comme s'il offrait à Dieu sa douleur physique et lui demandait en échange la confusion de ses ennemis.

XVIII

Pour lui donner ces soins, j'allai tous les matins, à son réveil, dans sa chambre. Il était étendu, devant la fenêtre ouverte, sur sa chaise longue, vêtu d'une robe de chambre de soie écarlate, qui pâlissait davantage ses joues blêmes et comme soufflées intérieurement. Sa barbe fauve, depuis quelque temps, avait commencé à blanchir. Les teintes jaunes de la peau, le cerne violet qui creusait profondément ses orbites et les deux fines meurtrissures qui pinçaient les ailes du nez révélaient les progrès de son mal. Il maigrissait, fondait, les chairs jaunes et lourdes semblaient s'affaisser comme un vêtement devenu trop large. Cela ne se voyait qu'ainsi, lorsqu'il était dévêtu ; habillé, son uniforme, ses décorations étalées sur sa poitrine, lui formaient une sorte d'illusoire cuirasse.

Il était évident que les cataplasmes de Langenberg avaient à peu près autant d'action sur son cancer que sur un cadavre.

Tous les matins, son fils entrait. Il le prenait, le caressait, passait doucement sa grande main sur le front de l'enfant, rejetait en arrière ses cheveux, tirait tendrement ses longues oreilles. Il le traitait avec une douceur profonde et singulière ; il semblait craindre de lui faire du mal, de le toucher trop rudement, mais il se ressaisissait :

— Allons, allons, il est solide, n'est-ce pas, monsieur Legrand ? Va, mon fils...

Avec sa fille, je retrouvais le Courilof public, l'homme glacé, impassible, qui donnait des ordres sans élever la voix. Irène Valerianovna m'inspirait une antipathie involontaire, tandis que ce couple, le Cachalot et la vieille cocotte, me plaisait, me touchait, je ne sais pourquoi...

J'écris, je me souviens, je divague, et il m'est impossible de m'expliquer à moi-même pourquoi ces deux-là m'étaient tellement... compréhensibles. Peut-être avais-je vécu depuis mon enfance dans un monde abstrait, une « cage de verre » ? Pour la première fois, je voyais des êtres humains, des malheureux, avec leurs ambitions, leurs fautes, leurs sottises... Mais je n'ai pas le temps de penser à ces choses ! Je ne veux que me souvenir de ce vieil épisode oublié... Tout vaut mieux que rester là et attendre dans l'inaction la mort. Le travail de parti, Karl Marx à la portée des ouvriers, la traduction des œuvres de Lénine, la doctrine communiste, débitée par tranches aux petits bourgeois bolchevistes d'ici !... J'ai fait ce que j'ai pu. Mais je suis malade, je suis las. Ces vieux souvenirs me fatiguent moins, m'engourdissent, empêchent ma mémoire de s'attarder aux souvenirs inutiles de guerre et de conquête, à tout ce qui ne reviendra plus, pour moi...

Je me rappelle Courilof allant à la cour, à cette époque, un jour où l'on y recevait je ne sais quel souverain étranger... Il tenait à peine debout, et deux laquais l'habillaient, tournaient autour de lui, attachaient ses décorations sur sa poitrine, le sanglaient dans son habit de cérémonie. Il portait une espèce de corset lacé par-derrière, qui soutenait, sous ses habits, la région malade du corps.

J'étais dans la chambre voisine et je l'entendais haleter péniblement tandis qu'on le serrait.

Il monta en voiture, raide et pompeux, étincelant d'or. La voiture partit.

Il revint au crépuscule, et, tout d'abord, un cri de Marguerite Eduardovna me frappa. Je pensai qu'il s'était trouvé mal. Il fut porté par les domestiques, plutôt que descendu, de sa voiture jusqu'à la maison, et, à mon vif étonnement, cet homme, qui était relativement calme et patient, s'emporta quand l'un des domestiques eut, d'un mouvement involontaire, heurté son bras, jusqu'à le couvrir d'injures et le frapper.

Le laquais, qui, sous le chapeau à cocarde, avait une figure simple et douce de paysan, devint blanc de terreur et demeura debout, absolument immobile, comme à la parade, la tête droite et ses gros yeux stupides fixés sur son maître, avec l'expression hébétée d'un bœuf.

Courilof, quand le bruit du coup eut résonné, parut frappé lui-même. Il s'arrêta, je vis ses lèvres remuer, mais, brusquement, la figure du valet sembla réveiller sa fureur. Il brandit le poing, hurla : « Va-t'en, bandit, chien ! » suivi d'une sonore injure russe et s'abattit, non point réellement évanoui, mais comme tombe une bête assommée par la rage. Il eut même le mouvement de cou d'un taureau qui secoue les banderilles enfoncées dans ses flancs. Il se releva avec effort, nous repoussa, monta l'escalier en chancelant. Marguerite Eduardovna et moi le suivîmes jusqu'à sa chambre. Il arracha son col. Il se plaignait incessamment. Seulement, quand il fut couché et que sa femme eut posé sa main sur son front, il parut se calmer. Je les laissai ainsi : elle, assise à son chevet, lui parlant doucement; lui, les yeux fermés, tout le visage parcouru de soubresauts nerveux.

Je pensais qu'il me ferait veiller, cette nuit-là, auprès de lui, comme à chaque maladie; mais il semblait craindre de laisser échapper des paroles imprudentes. Il ne me fit pas appeler; sa femme, seule, resta près de lui.

Le lendemain, je la vis, je la questionnai sur la santé du ministre. Elle sourit avec effort.

— Oh ! ce n'est rien...

Elle répéta plusieurs fois :

— Ce n'est rien, rien du tout...

Elle hocha la tête, les lèvres tremblantes, puis elle arrêta sur moi ses grands yeux profonds :

— S'il pouvait se reposer quelques mois... Nous irions vivre quelque temps à Paris... Paris, au printemps, quand les marronniers sont en fleur... Hein ! vous ne connaissez pas ça, vous ?...

Elle se tut.

— Les hommes sont ambitieux, dit-elle tout à coup en soupirant.

Je sus, ensuite, ce qui s'était passé chez l'empereur, du moins ce que les ennemis de Courilof répétèrent. Comment il avait reçu son ministre, en palpant nerveusement les crayons qui se trouvaient sur son bureau. C'était ainsi que ses proches pressentaient leur disgrâce. Dès qu'ils entraient, avant de leur adresser la parole, Nicolas II, sans lever les yeux, commençait à ranger machinalement sur sa table les objets et les dossiers.

— Vous savez que je ne me mêle pas de votre vie privée, mais, du moins, évitez les scandales.

On disait que ces paroles avaient été prononcées textuellement. Plus tard, je pensai que l'empereur n'avait même pas dû dire cela, que le blâme avait dû être infiniment moins grossier, moins apparent, peut-être à peine perceptible à l'œil nu, une nuance de froideur dans la voix de l'empereur, l'impératrice détournant la tête...

Quelqu'un fit allusion, devant moi, le lendemain, à la visite du souverain étranger.

Courilof dit avec amertume :

— Sa Majesté a daigné oublier ma présence... Elle a omis de me présenter au roi...

Il y eut un silence. Chacun avait compris ce que cela signifiait. En effet, pendant quelque temps, le Cachalot vacilla à son poste. Une joie étrange m'envahissait.

— Eh ! que le diable l'emporte ! songeai-je ; qu'il s'en aille, qu'il laisse cette place de ministre et qu'il vive tranquille jusqu'à ce qu'il crève de son cancer !

La pensée qu'il me faudrait tuer cet homme m'emplissait de révolte et d'horreur. Aveugle créature, qui sous la main de la mort étendue sur lui, avec son ombre déjà sur la figure, se préoccupait encore de vains rêves et d'ambition. Ces jours-là, combien de fois il répéta :

— La Russie oubliera mes ennemis, mais elle ne m'oubliera pas...

Cela paraissait étrange, grotesque, de penser que lui-même avait oublié déjà tous ces hommes, morts parce qu'il n'avait pas su donner des ordres intelligibles en temps utile, ou à cause du système d'espionnage, institué par lui-même, et qu'il considérait encore le jugement de la postérité, qu'il la sommait de choisir entre lui, cette canaille de Dahl et d'autres imbéciles pareils à lui-même !...

Je me souviens... Nous étions assis sur un banc, au jardin. Courilof, sa femme, sa fille, qui, elle, l'écoutait parler sans l'entendre, son fin visage enfantin fermé et impénétrable. On voyait qu'elle était très loin de lui, en cette minute, perdue dans des rêveries où le souci de son père n'entrait pas. Quand il se fut tu, elle continua à jouer d'un air absent avec le long collier d'or qu'elle portait à son cou. Il détourna la tête, la regarda en fronçant les sourcils, d'un air triste et irrité. Le petit Ivan courait au loin, appelait les chiens ; on entendait sa voix un peu haletante ; il était gras, de souffle court...

Je regardais les moustiques qui s'élevaient en nuages épais au-dessus des eaux sombres du golfe. Tous les êtres réunis autour de moi me paraissaient semblables à ces moustiques qui flottaient sur les marais, harcelaient les hommes, s'agitaient sur les bulles d'air, disparaissaient, le diable sait pourquoi !...

XIX

L'anniversaire d'Irène Valerianovna était en juin. Vers le milieu du mois, on commença à préparer le bal dans la maison des Courilof.

Le ministre avait voulu y convier l'empereur et l'impératrice, afin de bien montrer à ses ennemis qu'il était, en dépit de tout, solidement ancré à son poste et chéri à la cour. Personne n'était complètement dupe du manège, mais il impressionnait les esprits, malgré tout, à commencer par celui de Courilof lui-même.

La froideur de l'empereur n'avait pas encore été suivie d'actes hostiles envers son ministre ; une grosse somme d'argent muselait en partie la presse réactionnaire ; quant à la presse libérale, elle continuait ses criailleries, mais elle n'avait pas d'importance aux yeux de Courilof.

Je croyais savoir que Marguerite Eduardovna devait quitter Saint-Pétersbourg avant la fête, et je m'attendais tous les jours à la voir partir. Mais non, elle restait. Elle ne s'occupait pas du bal. C'était le ministre lui-même qui surveillait tous les préparatifs. Son teint était blême ; ses yeux regardaient avec inquiétude, une méfiante dureté, le monde et les hommes.

Une fois, je me risquai encore à suivre, dans le jardin, Dahl et le Cachalot qui parlaient entre eux. Dahl avait son air le plus diabolique et il regardait Courilof avec un demi-sourire dessiné sur ses lèvres minces et fermées, en silence.

Je crois qu'à un moment donné ils m'entendirent derrière eux : je faisais craquer le gravier sous mes pas. Courilof fit un geste d'impatience. Mais, dès qu'ils se furent assis et que je me tins immobile, dissimulé derrière la haie de buis taillé, ils m'oublièrent. J'entendis Dahl :

— Cher Valerian Alexandrovitch, pourquoi, puisque vous ne désirez pas offenser vos relations et vos parents en omettant de les inviter, et qu'il est inadmissible, d'autre part, que Leurs Majestés soient mêlées à votre parenté et à vos amis, pourquoi n'organiseriez-vous pas un spectacle dans la salle de malachite, seulement pour les princes, les très hauts dignitaires et les dames ?

— Vous croyez ? dit le Cachalot avec doute.

— Je le pense.

— Peut-être... Oui, la solution est élégante... Peut-être...

Ils se turent.

— Mon cher ami, commença Courilof.

Dahl inclina la tête de côté, en souriant.

— Je suis tout à votre service, mon cher...

— Vous savez que Leurs Majestés ne sont pas revenues chez moi depuis la mort de ma première femme...

— Depuis votre second mariage, je sais, mon cher...

— Pour les inviter, à présent, j'éprouve... une certaine difficulté. Je... Qui envoyer pour sonder le terrain ? Qu'en pensez-vous ? J'ai là une liste de noms de dames spécialisées dans ces sortes de missions... D'autre part, on dit que S. M. l'Impératrice sort fort peu en ce moment ; il me serait pénible, vous le concevez, d'essuyer un refus.

Il lut à Dahl les noms inscrits sur sa liste. A chaque mot, Dahl l'interrompait avec un petit ricanement, lui touchait doucement le bras :

— Non... non... pas celle-ci... Sa conduite... Sur son compte, Sa Majesté s'est exprimée avec blâme... Cette autre est divorcée, et une certaine immoralité dans ses actions, qu'on lui prête peut-être à tort, a indisposé contre elle Sa Majesté l'Impératrice. Vous ne sauriez croire, mon cher, à quel point le vent, à la cour, souffle du côté d'un rigorisme quasi puritain... Vous comprenez ?

— Je comprends.

Le baron se tut et regarda le Cachalot d'un air sévère et narquois.

— C'est une mode, mon cher...

Il haussa les épaules. « Vous voyez bien ce que je veux dire ? semblait-il exprimer par chacun de ses regards, son sourire : vous devinez, je pense, à qui je fais allusion, et combien votre position est chancelante. »

Ils finirent par parler, en baissant la voix avec précaution, de la fille de Courilof, comme d'une épouse possible pour le jeune Anatole Dahl.

— Une alliance entre nous serait désirable, disait Courilof, avec un accent de ruse et d'angoisse. Votre fils me plaît... Ce sont deux enfants...

— Oui, dit Dahl, froidement, c'est un bon petit... Mais il est bien jeune encore, et si pur ! Il faut lui laisser le temps de connaître la vie, de jeter sa gourme, dit-il en français, avec son petit rire forcé.

— Certes, certes, murmura Courilof. Cependant...

Ses paroles étaient mesurées, pleines de tact, de dignité paternelle, mais quelle impatience, quelle peur, frémissaient en lui...

Il offrait tout bonnement sa fille à Dahl, comme un sacrifice à des dieux irrités. Je savais que la jeune fille était très riche : la fortune de la première Mme Courilof revenait entièrement à ses enfants ; le ministre leur avait abandonné sa part, à son mariage avec Marguerite Eduardovna. Je n'ai jamais connu d'homme plus maladroit dans ses générosités...

La réserve inattendue de Dahl me faisait comprendre que sa position envers Courilof était plus solide que ne le croyait celui-ci. Je me souviens, j'écoutais avec attention, et, tout à coup, je rejetai la tête en arrière, je regardai le ciel, le golfe tranquille et je ressentis une soif extraordinaire de vie paisible, bourgeoise, petite, loin de tout au monde...

Cependant, Dahl et le Cachalot s'étaient mis enfin d'accord sur le nom de je ne sais quelle femme, amie de l'impératrice.

— C'est une bonne femme et elle a l'habitude de ces missions, dit Dahl.

Courilof soupira :

— Croyez-vous réellement que Leurs Majestés daigneront venir ?

— Je m'y emploierai, promit Dahl en secouant la tête d'un air las et majestueux.

— Hélas ! Je n'ai pas le bonheur de plaire à mon auguste Souveraine.

— Mais si, mais si, grogna vaguement le baron. Sa Majesté est femme, après tout (il sembla s'excuser, par une inflexion hésitante de la voix, de la vulgarité du terme accolé au nom sacré de l'impératrice...), extrêmement nerveuse, d'une franchise tout allemande, sachant bien mal garder pour Elle ses impressions, une belle âme, trop belle, peut-être, trop élevée pour les mesquins soucis du siècle.

— Certes, reconnut Courilof avec chaleur. Nul, si je puis dire (cette manière de s'exprimer semblait lui plaire), nul, au monde ne révère et n'adore, comme moi, Sa Majesté Impériale. Cependant, je le maintiens, Mathieu Iliitch, Elle n'a pas pour moi de la sympathie. J'ai dû, sans m'en douter, avec mon caractère entier, La blesser, offenser Ses sentiments. Pour être reine, on n'en est pas moins femme, comme vous venez si justement de le dire.

— C'est même parfois regrettable, insinua Dahl.

Dans sa voix prudente passa une sorte de sifflement.

Là-dessus, ils commencèrent à échanger leurs vues sur la conduite des courtisans et des souverains. Cela dura assez longtemps. Et, brusquement, Courilof dit :

— Mathieu Iliitch, c'est vous que Sa Majesté a jugé digne de me rapporter certaines de Ses paroles, relatives à la présence de ma femme à cette fête. Voulez-vous avoir l'extrême bonté de Lui faire savoir ?...

Il s'arrêta un instant et j'entendis la fêlure de sa voix, un frémissement de peur et de courage qui soulignait ses phrases pompeuses :

— Voulez-vous Lui dire que Marguerite Eduardovna, que *ma femme*, ne quitte pas encore Saint-Pétersbourg et qu'elle ne le fera qu'après avoir présenté ses devoirs à ses Souverains ?

Dahl hésita imperceptiblement ·

— Parfaitement, mon cher.

— Je suis las des équivoques. Je désire que ma femme (il appuya, une fois encore, sur le mot), que ma femme soit traitée par tous avec le respect que mon nom doit lui assurer. J'ai longtemps réfléchi, Mathieu Iliitch. Si je cède à cette occasion, cela recommencera sous d'autres formes. Je sais bien que la persécution dont je souffre a commencé dès le jour où j'ai insisté pour présenter ma femme à la cour. Je sais... Mais je désire que la situation soit nette. Si l'Empereur refusait de venir, je verrais qu'il m'est impossible de continuer à occuper mon poste. Je démissionnerais avec joie, je suis malade, je suis las.

Un long silence suivit.

— C'est entendu, mon cher, répéta Dahl.

Et ils se séparèrent. Dahl parti, Courilof resta assis, sur son banc, à deux pas de moi. Je le voyais parfaitement.

La journée était chaude, voilée; les petites mouches d'été bourdonnaient. Courilof avait une figure pâle et immobile. Tout à coup, il poussa un long et profond soupir qui semblait vraiment monter du fond même de son cœur. Je le regardai longtemps. Enfin, il se leva. Jusqu'au bout de la petite allée, il marcha à pas lents, faisant rouler le gravier devant lui du bout de sa canne, d'un air las et pensif. Mais, dès qu'il se fut engagé dans la grande voie droite qui menait vers la maison, mon Courilof se redressa, bomba le torse, avança avec cette allure pompeuse et raide qu'il avait, même étant seul, de l'homme habitué à passer entre deux rangs inclinés de peuple.

XX

Dès le lendemain, la maison commença à ressembler à une ruche bourdonnante. On clouait des tentures, on abattait des cloisons.

Autant que je puisse me rappeler, l'impératrice fit longtemps attendre sa réponse. Courilof devenait de plus en plus agité. Du matin au soir, on le voyait aller et venir à travers la maison, de son pas lourd et chancelant, qui ébranlait les parquets. Il était dur, impatient envers les secrétaires et les domestiques. Je me souviens surtout de l'accent d'hostilité et de nonchalance avec lequel il parlait à sa fille. Il regardait parfois Marguerite Eduardovna à la dérobée. J'imaginais qu'il mettait en balance son ambition et son amour pour elle. Chaque fois, il avait une espèce de sourire résigné, une expression de profonde douceur, puis il se détournait en soupirant. Cependant, Fanny, tous les soirs, m'attendait à la petite grille du parc et me parlait des persécutions dans les universités, des troubles réprimés avec une violence inouïe, des étudiants arrêtés et déportés. Je me rappelle cette sensation étrange, sa voix tremblante de haine, le pâle visage de Courilof, dont le souvenir me poursuivait sans cesse... Tout cela était égal. Les étudiants avaient raison, et Courilof. Chaque petit insecte humain songeait à lui seul, à sa vie menacée d'insecte, haïssait et méprisait les autres, et c'était juste... Seulement, moi, je les comprenais tous trop bien. Ce n'était plus de jeu. Dieu exige plus d'aveuglement de ses créatures.

Le temps passait, et l'impératrice ne répondait pas. Cependant, la ruée vers la maison des fleuristes et des tapissiers ne cessait pas. Il avait été question, pendant quelque temps, d'organiser une fête de nuit, dans les jardins.

Comme je l'ai dit, le parc, devant la maison, inclinait vers l'eau, un golfe triste du Nord, entouré de sapins, de ronces. Je crois que Courilof voulait dresser un ponton, costumer des musiciens. Mais toutes ces gentillesses étaient fort étrangères à son esprit. Hippolyte Courilof l'aidait.

Jamais Courilof n'avait su quels étaient la réputation de son neveu ni le mal qui en rejaillissait sur lui. Il le poussait de son mieux dans la carrière. C'était principalement à cause de lui que l'on accusait Courilof de favoriser, au détriment de l'Etat, sa nombreuse parenté.

— Il ne vole pas lui-même, disait-on, mais il n'y a rien de gagné pour le peuple. Il place partout ses proches, ses cousins, ses frères, et tous volent !

La première Mme Courilof avait élevé ce garçon, resté orphelin de bonne heure, et le ministre continuait scrupuleusement à accomplir tous les désirs que sa femme avait eus de son vivant. C'était un des traits de son caractère, un loyalisme imbécile, une honnêteté rigide qui soulageait sa conscience, lui faisait commettre une foule d'erreurs et engendrait les plus grands désastres.

Dans la chambre de sa première femme, demeurée

intacte, on gardait encore un portrait immense d'Hippolyte Courilof, enfant, avec sa longue figure blafarde, encadrée de boucles d'or.

Tous les soirs, le ministre et lui descendaient ensemble au bord de l'eau, prenaient les mesures du terrain, discutaient la manière dont il fallait placer les musiciens, la couleur des lampions.

Hippolyte Nicolaievitch courait sur le rivage, agitait ses bras, montrait le golfe.

— Vous imaginez-vous, mon oncle, la mer au loin, éclairée par la lune, le parfum des fleurs, la musique, en sourdine sur l'eau, les toilettes des femmes, un Watteau !

Il grasseyait, levait en l'air ses mains potelées et blanches. Un bossu sans bosse, la poitrine excessivement bombée, la tête plantée bas sur le cou, une longue face pâle.

— Cela coûtera cher, naturellement, ajoutait-il avec négligence. Confiez-moi cela...

Le crépuscule était extraordinairement désolé dans ces tristes îles. Je me souviens de la pluie qui tombait, et qui clapotait à la surface tranquille du golfe. Le soleil couchant demeurait à l'horizon jusqu'au matin, un globe d'un rouge morne, fumant, enveloppé de brouillard...

Courilof écoutait d'un air sombre et, souvent, m'appelait :

— Qu'en pensez-vous, monsieur Legrand ? Vous ne parlez pas souvent, mais vous avez du goût. De quelle couleur les lampions ? Verts ?

Il ne m'écoutait d'ailleurs pas, regardait l'eau immobile et revenait sur ses pas en soupirant.

Enfin, Courilof se décida à aller lui-même demander la réponse de l'empereur et à lui soumettre la liste des invités, s'il acceptait de venir.

J'accompagnai le ministre au Palais d'Hiver, ce jour-là. Quand il monta en voiture, il vit les solliciteurs qui attendaient dans la cour. Depuis le matin, ils étaient là ; la pluie les avait ramenés sous un auvent, comme un troupeau. Quand le Cachalot parut, ils firent trois pas timides. Le ministre agita la main d'un air las. Deux laquais s'avancèrent.

— Hop ! Partez !

En une seconde, ils les eurent refoulés et ils fermèrent sur eux la grille. Courilof, sombre et préoccupé, monta en voiture, me fit signe de le suivre. Comique... Lui aussi, il fut mal reçu ce jour-là... L'empereur était fatigué ; l'impératrice, malade...

Je l'attendis longtemps devant le palais, dans le petit coupé blindé, étouffant, et nous revînmes au pas vers les Iles.

Il se rencognait silencieusement dans un angle et regardait le vide. Parfois, il pressait le cocher d'un petit claquement sec de la langue, mais, dès que les chevaux, enlevés, galopaient, il s'irritait, injuriait le cocher et, de nouveau, nous nous traînions au pas. Il pleuvait de plus en plus fort. Bizarre à quel point je comprenais les « états d'âme » du Cachalot ! Et, pourtant, il était difficile, sous cette cuirasse, cet air de marbre, de deviner les mouvements de l'âme qui l'agitaient. Je les percevais d'une manière étrange et qui me procurait, avec une satisfaction de l'esprit, un contentement presque physique. Plus tard, en Sibérie, quand je m'évadai du bagne, je chassais pour me procurer des vivres pendant la route, et, quand je guettais ainsi le gibier, je me souviens que je percevais ses frémissements de même.

La chaleur, une averse fumante, semblaient monter de terre. Il mourait d'envie, visiblement, de me parler ;

mais le pauvre imbécile craignait toujours de me laisser découvrir ce qu'un seul de ses regards, de ses gestes eût suffi à faire éclater aux yeux d'un enfant. Enfin, il dit amèrement :

— Servitude dorée...

Je ne répondis rien, et il se tut également, tourna la tête, regarda les flots de pluie qui ruisselaient sur les vitres. Nous avions franchi les portes de Pétersbourg. Nous suivions une large allée bordée d'arbres, au feuillage détrempé, d'où coulait la pluie avec un fracas, un éclat d'argent.

A un moment donné, le cheval fit un écart. Je guettai Courilof. D'ordinaire, quoiqu'il fût parfaitement, absolument maître de lui, un cri dans la rue, un cahot, le bris d'un verre, lui arrachaient une sorte d'involontaire contraction nerveuse, tout de suite figée dans un calme de glace. J'éprouvais un sentiment de plaisir à surprendre en lui ces mouvements nerveux qui révélaient l'idée fixe de l'attentat.

Ce jour-là, il ne remarqua rien. Il ne se raidit pas ; son corps inerte suivit l'impulsion de la voiture jetée sur le côté, qu'une pierre avait fait dévier de son chemin. Quand je demandai : « Vous n'avez pas eu mal ? » il sembla éveillé d'un songe. Je vis sa figure affaissée et pâle, ses yeux à demi fermés.

— Non, dit-il.

Puis il hocha la tête.

— C'est étrange. Je me sens mieux. La douleur s'apaise quand tous ces ennuis occupent ma pensée.

Je ne dis rien. Il soupira :

— Plus haut l'homme est placé, plus lourde semble sa croix.

— Et pourtant, dis-je, vous êtes fatigué ? Pourquoi ne prenez-vous pas votre retraite ? Marguerite Eduardovna...

Il m'interrompit.

— Je ne peux pas. C'est ma vie, cela.

Il se tut, et nous rentrâmes.

L'idée de la musique sur l'eau avait été abandonnée. Courilof était décidé, comme l'avait conseillé Dahl, à monter un spectacle dans la salle de malachite. L'empereur et l'impératrice avaient fini par donner un vague acquiescement, mais, de minute en minute, on pouvait s'attendre à les voir se décommander. Cependant, les invitations étaient lancées.

La salle de malachite occupait la moitié du premier étage ; ce fut là qu'on dressa une scène. Quelques jours avant le bal, j'y entrai, et je trouvai Courilof assistant à une des répétitions. Une jeune fille, en costume de bergère Louis XV, jouait d'un instrument ancien, une espèce de cornemuse qui avait le son aigre et brillant d'un fifre. On avait enlevé tous les meubles ; seul, demeurait le lustre immense, en verre de Venise, à plusieurs étages, dont toutes les pendeloques sonnaient, en écho à la musique.

Courilof, ses gros yeux pâles lui sortant de la tête, paraissait écouter, complimentait. Enfin, la femme qui jouait s'en alla. Nous demeurions seuls au milieu de la salle.

Tout à coup, je vis que les planches qui formaient la scène, et qui n'étaient pas encore recouvertes de tapis, étaient mal assemblées. Elles paraissaient prêtes à se rompre sous le poids le plus léger. J'en fis la remarque à Courilof. Il me regardait, semblait sortir d'un songe et ne répondait pas.

Je répétai :

— Regardez comme cela est peu solide.

Brusquement, il crispa les lèvres ; sur son visage passa une expression d'aveugle fureur.

— Eh bien, tant mieux ! Tant mieux. Seigneur ! S'ils pouvaient disparaître au diable !... S'ils pouvaient s'abîmer dans la terre !

Il se ressaisit, sembla inquiet.

— Ne faites pas attention, je suis nerveux, malade...

Il me quitta, s'approcha de la fenêtre, regarda longtemps au dehors, sans rien dire, et sortit de la pièce.

XXI

Le bal était à la fin de juin, je me le rappelle.

Cette nuit-là, je sortis, j'allai me promener dans les Iles. J'aimais ces nuits claires Je voyais les voitures de la cour rouler, les unes derrière les autres, dans les larges allées. J'entrevoyais des têtes extraordinaires par les portières, des femmes aux figures maigres et pincées, chargées de bijoux, comme des châsses, des aigrettes scintillantes sur le front, des hommes dont les uniformes luisaient bizarrement, couverts de diamants et d'or. Cet éclairage étrange des nuits d'été leur donnait une apparence de mort, de songe... Je me souviens... Plus tard, par des nuits pareilles, quand j'étais commissaire spécial, j'interrogeais les suspects que l'on amenait par fournées devant moi et qui étaient exécutés à l'aube. Je me souviens de ces figures pâles, de la clarté de la nuit qui tombait sur leurs traits, de leurs regards fixés sur les miens Quelques-uns étaient tellement fatigués qu'ils paraissaient indifférents à tout, répondaient aux questions avec un petit ricanement las. Très peu d'entre eux défendaient leur vie. Ils se laissaient emmener et massacrer sans rien dire. Quel abattoir, une révolution! Est-ce que cela vaut la peine ?... Rien ne vaut la peine de rien, il est vrai, et la vie non plus que le reste.

Je m'approchai du jardin, ouvris la grille et tombai immédiatement sur Courilof. Il était sorti dans le parc pour surveiller la police massée autour de la maison. A chaque pas, on apercevait un policier en civil, dissimulé derrière un arbre.

— Que faites-vous là, monsieur Legrand ? Venez, vous verrez un beau spectacle.

Il me força à remonter vers la maison. Par les fenêtres ouvertes, je voyais la salle de malachite éclairée, les femmes qui agitaient leurs éventails ; au premier rang, l'empereur et les princes.

— Vous entendez ? dit tout à coup Courilof à voix basse.

Il leva la tête, écouta quelque temps, en fronçant les sourcils.

— Bach...

La sévère et tranquille musique semblait passer très haut au-dessus de nous. J'écoutai comme lui. Le fameux R... jouait. Je n'aime pas la musique, comme je suis indifférent à tous les arts, en général. Seuls, Bach et Haydn me plaisent.

— Voici les Souverains, dit encore Courilof. Vous Les voyez pour la première fois, sans doute ? Voici l'Impératrice et, à Ses côtés, l'Empereur lui-même... Quelle admirable majesté éclate sur les visages de ces maîtres absolus de l'immense Russie, continua-t-il de cette voix solennelle qui m'irritait et me touchait à la fois.

Il leva la main, montra la grande verrière illuminée et Nicolas II qui, le visage tourné vers nous, écoutait attentivement. A un moment donné, à une pause légère de la musique, j'entendis distinctement la petite toux fatiguée de l'empereur, qui porta à ses lèvres sa main gantée, inclina le front.

— Laissez-moi rester ici, dis-je à Courilof, les salons sont étouffants.

Il me quitta, rentra.

La nuit, également, était étouffante et, par moments, des éclairs crépitaient. Je vis la foule se lever ; j'entendis le bruit des pas et le choc des sabres contre les dalles. Les princes passèrent dans la salle voisine, où le souper était servi. Je tournais sous les fenêtres. J'entrevis l'empereur qui tenait à la main une coupe. Puis Ina, en robe blanche, Marguerite Eduardovna, une aigrette de diamants piquée dans ses cheveux, une touffe de roses au corsage, d'autres encore, une multitude de visages inconnus.

Je respirais mal ; l'air était absolument immobile. Je me heurtai, au détour d'un massif, à l'un des policiers ; il m'avait vu parler au ministre et il ne m'inquiéta pas. Il se contenta de me suivre, quelque temps, le long d'une allée, machinalement, par pli professionnel. Je l'appelai, lui offris une cigarette.

— Beaucoup de travail, cette nuit ?

Il fronça les sourcils.

— La maison est bien gardée, dit-il évasivement, en français, avec un fort accent allemand, d'une voix hésitante.

Il toucha du doigt le revers de son chapeau et disparut dans l'ombre.

Il était étrange de se promener ainsi, dans ce jardin, sous l'œil invisible des policiers. Je ne pensais pas souvent, en ce temps-là, à ma propre existence. Je vivais dans une sorte de rêve éveillé, à la fois lucide et trouble. Pour la première fois, cette nuit-là, je songeai à moi-même, à la mort qui m'attendait. Mais, réellement, je ne parvenais pas à m'y intéresser... Je pensai, je me le rappelle : « Il faudra me munir de bombes, et non d'un revolver, afin de sauter également... » Il était bizarre de se dire que, le ministre et moi, nous expirerions vraisemblablement ensemble... Je sentais la fièvre monter dans mon corps. L'orage, et surtout le temps lourd qui précède l'orage, m'oppressent... J'étouffais. Je songeai encore : « Fermer les yeux, m'endormir... » Saleté de vie... Incompréhensible... On peut tuer facilement des inconnus, des êtres humains, comme ceux qui passaient devant moi, ces nuits-là, en 1919, et encore... Même eux...

Quand je les interrogeais : « Comment vous appelez-vous ? Où êtes-vous né ? », des papiers, des passeports maquillés ou non, s'élevait pour moi l'image de vies compréhensibles et presque fraternelles.

— Toi, le voleur, le spéculateur, fournisseur aux armées impériales de bottes en cuir pourri, de conserves avariées, tu n'es pas un méchant homme, tu aimais l'argent, c'est tout, tu te penches encore vers moi, avec ferveur, avec espoir : « Camarade commissaire, j'ai des dollars... Camarade commissaire, ayez pitié de moi ; je n'ai jamais fait de mal à personne ; j'ai des petits enfants ; ayez pitié de moi !... » Quand deux hommes, demain, te brûleront la cervelle dans un garage obscur, sauras-tu seulement pourquoi tu meurs ?

Je me rappelle le brigand des armées blanches qui avait pendu des paysans par milliers et brûlé les villages, sur son chemin, de telle sorte qu'il ne restait sur sa route que l'emplacement des poêles dans les maisons... Il tournait vers moi, en mourant, des yeux stupides, injectés de sang : « Pourquoi, camarade commissaire, pourquoi me fais-tu souffrir ? Je n'ai jamais fait de mal... » C'était... bouffon... Ainsi pour Courilof...

« Détruire les injustes pour le bonheur du plus grand nombre. » Pourquoi ? Et qui est juste ? Et, à moi, que me font les hommes ? Il est insupportable au chasseur de tuer une bête qu'il a nourrie, soignée... Et, cependant, tant qu'on est ici-bas, il faut jouer le jeu. J'ai tué Courilof. J'ai envoyé à la mort des hommes que je comprenais, en un rapide instant, comme des frères, comme mon âme...

J'ai eu un moment de délire, cette nuit. C'était également une nuit lourde et orageuse. J'ai laissé ces vieilles paperasses inutiles, je suis descendu au jardin, j'ai marché longtemps dans cette petite allée, de dix pas de long, qui aboutit au mur et, par-delà, à la route... J'éprouvais une soif dévorante. Le sang me montait à la gorge et mon cou était serré comme par une lourde et dure main.

Au matin, la pluie est enfin tombée, et j'ai pu m'étendre sur mon lit et m'endormir. Je tousse, j'étouffe. Pas un bruit dans la maison. J'aime cette solitude irrémédiable.

Alors, voilà : il y a trente ans, par une nuit d'été, je me promenais sous les fenêtres de Courilof et je guettais cette foule de pantins brillants dont il ne reste rien.

Le temps passa. L'empereur sortit. Sa voiture était avancée. Dans l'ombre des arbres, tous les policiers rapprochés formaient un cercle invisible. Je tendis l'oreille : on les entendais vaguement respirer et l'on percevait le frôlement de leurs pas dans l'herbe. Le ministre, tête nue, tenant à la main une grande torchère d'or enflammée, selon la tradition, quoique la nuit fût d'une clarté parfaite, accompagnait l'empereur. Derrière eux, bruissait une foule respectueuse.

Le silence devint absolu dès que l'empereur eut ouvert la bouche. J'entendis distinctement sa petite toux hésitante et ses paroles :

— Je vous remercie. La fête a été très brillante.

Il monta en voiture, s'assit à côté de l'impératrice, qui, droite, raide, inclinait, d'un mouvement mécanique, son visage triste et hautain. Elle portait un piquet de plumes blanches dans les cheveux, un haut collier de pierreries. Ils partirent.

Courilof rayonnait. Une foule avide l'entourait, le complimentait, comme si une partie de la majesté impériale était demeurée collée à lui. Il montra le jardin :

— Mesdames, vous plairait-il de vous égarer sous ces charmilles ? prononça-t-il avec l'accent pompeux des plus beaux jours.

Il se tourna vers Dahl, le saisit par le bras. Ils suivirent la foule qui s'écoulait dans les allées. Dahl dit :

— Je vous félicite : Sa Majesté a été plus qu'aimable.

Courilof marchait sur des nuées. A un moment donné, des musiciens dissimulés dans les massifs commencèrent à jouer. Çà et là, au milieu des pelouses, des feux de Bengale avaient été allumés et brûlaient d'une flamme rouge sombre. Sur les visages livides de Dahl et de Courilof, ces pâles visages des gens de Pétersbourg qui ne connaissaient pas le soleil, mais seule la clarté artificielle de leurs nuits d'été (ils dormaient le jour), la lumière faisait courir des reflets de sang. Cela ne manquait pas d'à-propos, quand on y pense.

Dahl prit le bras du ministre et le pressa affectueusement. Je devinai alors que la chute du Cachalot était proche. Cependant, celui-ci dit :

— Je savais bien que lorsque Leurs Majestés verraient, de plus près, ma femme, Elles comprendraient qu'Elles ont été induites en erreur.

Il sourit avec orgueil. Cet homme était ainsi... Son intelligence, qui n'était certes pas aussi grande qu'il le croyait, mais qui était plus réelle que, moi, je ne l'avais cru, se troublait, s'obscurcissait dès que tout allait bien pour lui. Le succès lui montait à la tête comme les fumées du vin.

Je rentrai dans ma chambre. J'ouvris la fenêtre. Je vis s'éloigner, les unes après les autres, les voitures de la cour. J'écoutai, jusqu'au matin, le bruit des accordéons dans les écuries. Je vis la lumière briller un instant et s'éteindre chez Marguerite Eduardovna.

XXII

Une semaine après le bal, l'empereur fit appeler Courilof ; avec de belles paroles, car l'empereur Nicolas était un souverain éclairé, qui n'avait pas la brutalité de son père, ni dans ses propos ni dans ses actes, il donna le choix à son ministre entre la disgrâce et le divorce ; il lui recommanda vivement de prendre ce dernier parti. Mais Courilof refusa de quitter sa femme ; il montra même, à ce sujet, une indignation que l'empereur trouva *tactless*, comme il le dit par la suite. Courilof fut destitué.

Ce jour-là, je vis mon Courilof rentrer de Pétersbourg. Son visage paraissait aussi impassible qu'à l'ordinaire, à peine plus gris et les coins de la bouche affaissés. Mais il semblait parfaitement calme, maître de lui ; il souriait avec une expression ironique et résignée qui me surprit.

— Je vais pouvoir me reposer tout à mon aise, maintenant, mon bon monsieur Legrand, dit-il en passant près de moi.

Pendant quelque temps, sa disgrâce devait être tenue secrète ; mais les « hautes sphères » de Pétersbourg, comme on appelait la cour et les gens qui y attenaient, en parlaient ouvertement.

L'égalité d'âme de Courilof, tout d'abord, m'étonna. Je compris ensuite qu'il n'avait pas mesuré immédiatement toute l'étendue de sa chute. Sans doute, l'imaginait-il passagère... ou, peut-être, la conviction intime d'avoir agi en gentleman, comme il aimait à le dire : *behave like a gentleman*, en serrant les lèvres, avec le petit sifflement particulier que je connaissais si bien, mettait-elle un baume sur sa blessure... Il n'était pas mécontent non plus d'avoir, pour la première fois de sa vie, tenu tête à son bien-aimé Souverain.

Le parti de l'opposition, à la cour, le félicita hautement de son attitude ; il connut ainsi une brève popularité qui le trompa pendant quelque temps et l'étourdit. Mais cela passa vite. Puis il demeura seul. On l'oublia. Le soir, de ma fenêtre, je commençai à le voir marcher de nouveau, de long en large, des heures entières, dans sa chambre éclairée. Insensiblement, il devenait plus irritable et plus triste, s'enfermait chez lui, seul.

Un jour, j'entrai dans sa chambre. Il était assis devant sa table ; il tenait, ouvert entre ses mains, un coffret de bronze qui contenait une liasse de papiers ; il les relisait, les pliait avec soin, comme de vieilles lettres d'amour. C'était une collection de télégrammes reçus à sa nomination au poste de l'Instruction Publique et qu'il gardait toujours à côté de lui, sur sa table de travail, sous clef.

Il se troubla légèrement en me voyant. J'attendais le mouvement solennel par lequel il se débarrassait des importuns, le geste majestueux de la tête tournée, le : « Qu'est-ce ? Que me voulez-vous ? » et le regard lourd et glacé des pâles yeux bleus. Mais il se contenta de serrer mélancoliquement les lèvres.

— Vanité des vanités, monsieur Legrand, tout ici-bas n'est que cendre et vanité. On s'amuse comme on peut, à mon âge, reprit-il d'un ton qu'il s'efforçait en vain de rendre indifférent : les honneurs sont les hochets des vieillards...

Il réfléchit un instant et referma le tiroir. Enfin, d'un signe de tête, il m'invita à m'asseoir auprès de lui. Il me parla de Bismarck, qu'il avait connu.

— Je l'ai vu, je suis allé rendre visite à ce grand homme, renvoyé comme moi, par un maître ingrat... Il vivait seul, avec ses dogues... L'inaction tue...

Il s'interrompit, soupira :

— Le pouvoir est un poison délicieux... Pour d'autres, se hâta-t-il d'ajouter, pour d'autres... Moi, je suis un vieux philosophe...

Il s'efforçait de sourire d'une manière ironique et légère, à la façon du défunt prince Nelrode. Mais ses gros yeux pâles demeuraient fixés sur les miens avec une expression d'inquiétude et de tristesse mortelle.

Enfin, juillet passa, et l'ordre vint pour moi d'exécuter Courilof le 3 octobre. A cette date, l'empereur d'Allemagne devait rendre visite au tsar. Il y aurait un spectacle au théâtre Marie ; la bombe devait être jetée à la sortie, hors du théâtre même, afin d'éviter d'autres malheurs, mais assez tôt pour que le peuple et les représentants des puissances étrangères pussent connaître l'attentat et le voir de leurs yeux.

J'avais été appelé à Pétersbourg par Fanny. Elle habitait dans une espèce de grenier, au-dessus du canal noir de la Fontanka, une chambre qu'elle partageait avec une famille d'ouvriers.

Je me rappelle la chaleur de ce jour d'été et la poussière de chaux qui s'envolait d'un échafaudage, aveuglante, éclairée par le soleil blanc. Nous étions seuls dans la chambre. Je lui dis que j'aimerais voir un des chefs du parti. Elle ne répondit rien d'abord, me regarda fixement de ses yeux étroits et luisants, puis demanda :

— Et qui donc ?

Je ne connaissais personne. J'insistai.

— Vous avez ordre de ne voir personne.

Je m'irritai et insistai de nouveau. Nous nous séparâmes sans avoir rien arrêté.

Quelques jours passèrent, et elle me fit venir chez elle un soir. Je traversai une petite galerie de bois, branlante, entourée d'une rampe à claire-voie, qui menait à sa chambre, lorsqu'un homme ouvrit sa porte, s'avança et me prit la main. Un petit lumignon, collé au mur, l'éclairait si mal que je ne voyais de lui qu'un chapeau à grands bords. Il avait une voix assez étrange, sèche et ironique. A certaines façons d'économiser le souffle, je reconnaissais une habitude des réunions publiques.

— Nous ne pouvons pas entrer là, dit-il.

Il montra la chambre d'un mouvement las et paresseux des épaules :

— Il y a une femme couchée, malade ou ivre, je suis...

(Il dit son nom. Ce terroriste fameux est mort depuis, exécuté par les Soviets, dont il devint, en 1918, l'ennemi acharné.) On entendait effectivement une voix gémissante de femme, mêlée de hoquets et de plaintes.

— Vous avez voulu me parler..., continua-t-il.

Et il ne baissait même pas la voix dans le corridor plein d'ivrognes, de mendiants, de filles fardées, qui sortaient pour leur travail quotidien, de gamins demi-nus qui couraient comme des rats. Ils passaient, nous dévisageaient, nous poussaient. L'homme s'était accoudé à la rampe et regardait la cage noire de l'escalier. Ce fut là que se joua la vie de Courilof...

Je dis que je ne voulais pas exécuter le ministre. Il ne protesta pas, poussa un soupir fatigué, comme Courilof lui-même, quand le secrétaire venait lui demander un supplément d'explications au sujet d'une lettre à terminer.

— Ça va bien, c'est bon, on en trouvera un autre...

Un ivrogne se mit à chanter dans un des taudis. L'homme frappa la cloison d'une main impatiente, fit un signe :

— Alors ?... Nous descendons ?

Je l'arrêtai de nouveau, et là... Ah ! je ne me souviens plus de mes paroles, mais il me semblait que je disputais un frère à la mort.

— Pourquoi ? A quoi bon ? C'est un pauvre imbécile ; vous le supprimerez, un autre ne sera pas meilleur, et ainsi de suite.

— Je sais, je sais, dit-il d'un air excédé, nous recommencerons ; vous savez bien que nous ne tuons pas un homme, mais le régime.

Je haussai les épaules. Je ressentais, comme à l'ordinaire, une sorte de gêne, la peur de me laisser aller à prononcer les paroles grandiloquentes que je haïssais. Je dis seulement :

— Voulez-vous punir un coupable, ou supprimer une cause de malheur, de trouble, un danger pour vous ?

Il se fit plus attentif. Il s'assit à demi sur la petite rampe légère, se balança en sifflotant doucement.

— Cela, sans aucun doute.

— Il est destitué. Ce n'est pas officiel. Mais il sera remplacé bientôt.

Il poussa un juron d'une voix basse et étouffée.

— Encore ! On avait déjà mis la main sur cet animal-là ! Et quand sera-ce officiel ?

Je fis un signe d'ignorance.

— Ecoutez, fit-il rapidement, le 3 octobre est la date fixée. Songez que, pour octobre, les grèves sont décidées dans toutes les universités. Il y aura des émeutes. Beaucoup d'étudiants périront si Courilof reste au pouvoir. Si nous le supprimons, nous effrayons son successeur et nous sauvons des vies plus précieuses que cette machine inhumaine.

— Si au 3 octobre il a résigné le pouvoir ?... demandai-je.

Il me dit :

— Alors, tant pis, que voulez-vous ? On le laisse... Sinon, vous comprenez vous-même, vous ou un autre...

Il se tut. L'ivrogne recommença à chanter d'une voix plaintive. Fanny se glissa dans le couloir.

— Partez maintenant, le dvornik monte.

Nous descendîmes ensemble. L'homme allait vite ; je voyais qu'il voulait partir avant moi et éviter ainsi que je ne distinguasse ses traits ; mais je le devançai, je regardai rapidement son visage. C'était un homme jeune, usé, avec de doux yeux. Lui-même me dévisagea d'un air étonné. Je dis brusquement :

— Ecoutez : au fond, c'est une sale besogne ; vous n'avez pas envie, parfois, de tout flanquer au diable et de vous sauver ?

Je ne sais pourquoi, depuis que je le regardais, quelque chose de théâtral, de tendu dans notre conversation m'apparaissait. Il fronça les sourcils.

— Non, je n'ai aucune pitié, dit-il, répondant à mes pensées, qu'il croyait deviner, plutôt qu'à mes paroles. Ces gens ne méritent pas plus la pitié que des chiens enragés.

Je souris involontairement, reconnaissant les paroles de Langenberg. Il continua avec un accent de hauteur :

— Vous ne savez pas, vous arrivez de votre cage de

verre bien préservée ; vous auriez demandé à votre père...

Je dis :

— Il ne s'agit pas de pitié. C'est plutôt un certain sens de l'humour qui nous fait défaut... ainsi qu'à nos adversaires, d'ailleurs... vous ne trouvez pas ?

Il me regarda attentivement :

— De deux choses l'une, n'est-ce pas ? Si le 3 octobre !...

Il le répéta. J'avais bien compris. Je le lui dis. Il sourit, fit un signe de la tête.

— Vous verrez, quand vous sentirez la bombe enveloppée dans votre mouchoir ou le revolver dans la poche de votre pantalon, et que vous verrez tous ces êtres épanouis, avec leurs décorations et leurs chamarrures, le frisson qui passera entre vos épaules vous payera de tout. J'en ai tué deux.

Il toucha son chapeau du doigt et disparut. Quand il m'eut quitté, je marchai dans les rues de Pétersbourg, trois rues, toujours les mêmes, autour du canal noir, jusqu'au matin.

XXIII

Insensiblement, Courilof changea, devint sombre et nerveux. En cette saison, il allait, en général, s'installer, avec sa femme, dans sa maison du Caucase ou en France. Mais, cette année, il ne songeait pas à bouger. Il attendait je ne sais quoi. Il ne le savait pas lui-même. Probablement que l'empereur changeât d'idée... ou que le monde s'arrêtât, puisque lui, Courilof, n'était plus ministre.

Enfin, vers la fin de juillet, parut le décret de l'empereur nommant Dahl à la place de Courilof. Il accusa le coup sans broncher, mais il parut vieilli brusquement. Je m'aperçus que la présence de sa femme lui pesait. Il était encore plus attentif, plus courtois envers elle, mais on sentait qu'elle lui rappelait, à tout instant, le sacrifice de sa carrière et que ce souvenir lui était dur. Les enfants, Ina et Ivan, passaient l'été, comme tous les ans, chez leur tante, quelque part dans la province d'Orel.

On eût dit que seule ma présence était supportable au Cachalot. Je pense que je le calmais par mon silence et parce que je ne déplaçais pas beaucoup d'air en marchant. J'ai toujours eu un pas léger et silencieux au possible...

La maison était devenue vide et sonore comme une ruche abandonnée. Naturellement, craignant de se compromettre, personne ne venait plus chez le ministre en disgrâce, mais ce qui m'étonnait, c'est qu'il en était surpris et blessé. Le matin, il appelait le domestique de son coup de timbre impérieux, qui résonnait à travers la maison entière :

— Le courrier !...

On lui apportait quelques lettres. Il les regardait avidement, puis les laissait retomber sur son lit en soupirant, les éparpillait avec la main ; sa figure était impassible, ses doigts seuls tremblaient légèrement.

— Pas de message de l'Empereur ? Rien ?

En interrogeant, il rougissait péniblement, augmentait encore la fixité glacée de son regard. On voyait que la question seule lui était une souffrance, mais qu'il ne pouvait s'empêcher de la faire. Je revois le flux de sang qui montait lentement à son visage et colorait la longue face pâle, jusqu'au haut front nu. Il tressaillait à chaque coup de sonnette, à chaque bruit de voiture passant dans l'allée.

Le temps était beau et chaud. Courilof descendait de bonne heure au jardin, respirait l'odeur des fleurs, des grandes pelouses envahies par une mer d'herbes, comme des prés. On les fauchait à cette époque de l'année ; on entendait le sifflement de la faux et les voix des paysans portées par l'air tranquille.

— Ainsi de nous, ainsi de nous, monsieur Legrand !

Il s'arrêtait, regardait autour de lui, jusqu'au golfe qui gardait sous le ciel bleu sa pâle couleur grise.

— On respire bien, n'est-il pas vrai, monsieur Legrand, cet air pur qui n'a pas encore été souillé par les émanations des hommes ?

Il trouait une feuille avec l'extrémité de sa canne,

l'élevait à la lumière, s'arrêtait, regardait pesamment, sans les voir, les herbes, les buissons. Le chant des oiseaux lui était un délice, disait-il, jusqu'au moment où il commençait à grimacer avec douleur.

— Assez, rentrons ! Ces piaillements m'obsèdent ! Le soleil m'étourdit, ajoutait-il en montrant le pâle soleil du nord se reflétant dans l'eau.

C'était l'heure où, auparavant, il allait présenter ses rapports à l'empereur...

— Cincinnatus... Tirons notre charrue...

Il lui échappait de brefs et amers ricanements quand il parlait de l'empereur, de l'impératrice, de la cour, des ministres. Cet homme, que je n'avais jamais connu ni spirituel ni amer, avait, sous le fouet cinglant de l'adversité, d'assez cruels et amusants jugements sur les choses du monde. Une fois, il me demanda :

— N'avez-vous pas connu, en Suisse, d'émigrés révolutionnaires ?

Redoutant un piège, je répondis :

— Non.

— Des fanatiques, des illuminés, de la canaille !...

Mais, somme toute, ils ne l'intéressaient guère. Ce qui comptait pour lui-même, pour son souverain, pour la Russie, c'étaient les intrigues des grands-ducs, des ministres et surtout, et avant toute chose, les intrigues dont lui-même avait été victime, les machinations, qu'il qualifiait de « diaboliques », de Dahl et consorts, et qu'il remâchait avec fiel. Il ne m'en parlait pas : je ne devais rien savoir. Je n'étais qu'un obscur petit médecin, indigne de pénétrer le destin et les infortunes des grands de ce monde. Mais chacun de ses mots se rapportait involontairement à sa propre histoire.

Mon pauvre Courilof ! Jamais il ne m'a été aussi proche, jamais je ne l'ai si bien compris, méprisé, plaint, que ces jours-là, ces nuits-là. Pâles nuits claires, qui demeuraient douze heures à l'horizon, elles commençaient à s'assombrir, car nous étions en août, et, sous ce climat, c'est l'automne, une aride et triste saison partout, mais là-bas... Je lui conseillais de partir. Je lui parlais de la Suisse et d'une maison à Vevey, une maison blanche ornée d'une vigne rouge, comme celle de la famille Baud... Je lui traçais les tableaux les plus idylliques. En vain. Il se cramponnait à la proximité de l'empereur, au souvenir, à l'illusion du pouvoir.

— Des ministres, ces pantins ? répétait-il avec rage. Un empereur ? Non, un saint ! Dieu nous préserve de ses saints sur le trône ! Chaque chose à sa place ! Quant à l'Impératrice !...

Il s'interrompait, pinçait les lèvres avec une moue méprisante, puis soupirait profondément :

— Ce qui manque, c'est l'activité...

Il lui manquait autre chose encore : l'illusion de peser sur la destinée des hommes. On ne se lasse pas de cela, ou alors c'est la fin... tout à fait... Je le sais maintenant.

Une fois, il me dit :

— Vous seul êtes resté fidèle au vieil homme déchu.

Je répondis de façon évasive. Il soupira, me regarda de cette étrange, de cette attachante manière qu'il avait.

— En somme, remarqua-t-il, vous êtes assez mystérieux.

— Pourquoi ? demandai-je.

J'éprouvai un certain plaisir à cette question... il répéta lentement :

— Pourquoi ? Je ne sais pas.

Et, en ce moment, j'eus la sensation nette qu'un doute avait traversé son esprit. Il était incroyable de penser à quel point ces gens étaient bizarres, obtus : ils déportaient et emprisonnaient en masse des innocents ou de pauvres imbéciles, mais les vrais ennemis dangereux du régime glissaient entre les mailles de leurs filets sans dommage. Oui, cette fois-là, la première, Courilof eut un soupçon. Probablement, une sorte de malaise lui troubla l'esprit. Mais sans doute pensa-t-il qu'il n'avait plus rien à craindre, ou peut-être éprouvait-il, à mon égard, le même sentiment que moi envers lui... de compréhension, de curiosité, une fraternité obscure, pitié, mépris, que sais-je ?... Peut-être ne pensa-t-il à rien de tout cela ? Il haussa doucement les épaules et se tut.

Nous rentrions, nous déjeunions avec Marguerite Eduardovna, tous les trois perdus autour d'une table de vingt places. Pendant ces repas, il était d'une irritation qui confinait à la folie. Un jour, il jeta une des corbeilles de Sèvres qui décoraient la table ; il la jeta à la figure du maître d'hôtel, je ne me souviens plus pourquoi. C'était une coupe de pâte tendre, de couleur rose, que l'on garnissait des dernières tremblantes petites roses de la saison, jaunes et à demi fanées, qui exhalaient un parfum pénétrant. Quand le maître d'hôtel eut ramassé silencieusement les débris, Courilof eut honte, lui fit signe de sortir, dit en me regardant avec un haussement d'épaules :

— Quels enfants nous sommes !...

Il demeura longtemps immobile, les yeux baissés.

L'après-midi, il se recouchait, traînait des heures entières sur son sofa, lisait. On lui apportait des livres en tas, en brassées, des romans français qu'il coupait minutieusement, car cela faisait durer les heures. Il passait longuement le couteau entre les pages, les lissait, puis les frappait de la lame, à petits coups, d'un air absent, les lèvres closes. Bien des fois, je vis, tandis qu'il tenait le livre ouvert devant lui, ses gros yeux douloureux fixés dans le vide. Il regardait la dernière page, soupirait, rejetait le livre.

— L'ennui, répétait-il, quel ennui !...

Il recommençait à marcher de long en large dans sa chambre tapissée d'icônes. Sa femme entrait; son visage s'éclairait, mais presque aussitôt il se détournait, recommençait à traîner sans but d'une pièce à l'autre.

Il faisait renvoyer les quelques personnes qui venaient lui rendre visite. Il lisait la *Vie des Saints*, je me souviens, et prétendait y trouver un apaisement. Mais, comme il était attaché aux biens de ce monde, à la vie de la chair, il rejetait également les livres saints, avec un soupir.

— Dieu me pardonnera... Nous sommes tous de pauvres pécheurs...

Il avait des affectations d'européanisme, et ces soupirs involontaires le déconcertaient, lui le premier.

Il n'y avait qu'une chose qu'il aimait et de laquelle il n'était jamais las. Il me faisait signe de m'asseoir en face de lui : on apportait le thé et les lampes. Un crépuscule, déjà presque automnal, profond et chargé d'ombres, d'humides brouillards, tombait sur les Iles, et le Cachalot me racontait ses souvenirs. Des heures entières, il me parlait de lui-même, des services qu'il avait rendus à la monarchie, de sa famille, de son enfance, de ses opinions sur le rôle et la grandeur de l'homme d'Etat. Mais, lorsque, par extraordinaire, il daignait parler des hommes qu'il avait connus, il m'étonnait. Il trouvait des accents d'âpre humour pour me les décrire, avec leurs petites intrigues, les concussions, les vols, les trahisons, la monnaie courante de la cour et de la ville, tout un grouillement bizarre qui m'amusait.

Je pense que si, plus tard, je pus donner aux maîtres

de l'heure quelques bons conseils et les aider à mener leur barque, quand la période héroïque de la révolution fut terminée et qu'il fallut compter avec l'Europe et les passions réveillées des hommes, c'est un peu à Courilof que je le dois. Il m'apprit plus qu'il ne le pensait et tout autrement qu'il ne l'eût pensé, mon vieil ennemi...

Souvent, je n'écoutais même plus ses paroles, l'accent seulement, de fiel et de rancune, je regardais ce visage blême, hautain, déjà touché par la mort et dévoré d'ambition et d'envie. Une petite table d'acajou nous séparait et deux lampes à l'ancienne mode, avec leurs abat-jour de tôle peinte; la flamme brûlait tranquillement dans la nuit. On entendait les policiers, toujours là, comme moi, quoiqu'il n'y eût plus de ministre à garder, qui faisaient leur ronde sous les fenêtres, et ils sifflaient bas en se reconnaissant dans la nuit.

— Les hommes, les hommes, répétait Courilof, les ministres, les princes, quels pantins que tout cela! Le pouvoir réel est aux mains de fous ou d'enfants, qui ne savent même pas le reconnaître quand ils le tiennent, et le reste des mortels poursuit une ombre!...

Il parlait exactement comme cela : cet homme manquait de simplicité, mais, en l'occurrence, ses paroles étaient justes. Ensuite, de nouveau, le dîner silencieux. Puis Marguerite Eduardovna se mettait au piano, et nous marchions de long en large dans la salle des fêtes : les parquets étincelants reflétaient les lumières des lustres, tous éclairés pour son piétinement solitaire. Par moment, il s'arrêtait, poussait une exclamation irritée :

— Dès demain, je pars!

Et le lendemain passait de même.

XXIV

Cependant, les troubles ne cessaient pas dans la capitale. Des universités, ils se transmettaient aux fabriques, et, dans certaines provinces, de nouveau, des bagarres sanglantes avaient éclaté. Dahl ne savait pas réduire à la raison les universités ni les lycées.

Un soir, Courilof parut plus animé qu'à l'ordinaire et, en me souhaitant une bonne nuit, il dit :

— N'allez pas à Pétersbourg demain : les élèves des lycées impériaux comptent aller présenter à l'Empereur, qui se trouve actuellement au Palais d'Hiver, une pétition en faveur des ouvriers grévistes des usines Poutilof.

— Comment cela finira-t-il ? demandai-je.

Il rit sèchement :

— Personne ne sait rien encore, et Son Excellence, – il souligna les mots avec ironie, comme toujours lorsqu'il parlait de son successeur, – Son Excellence moins que les autres. Cela finira simplement. Le commandant du palais, pris au dépourvu, appellera les troupes. Dans ces cas-là, le pouvoir passe automatiquement aux mains du colonel, et, comme il ne manquera pas de braillards pour insulter l'armée, les soldats seront forcés de tirer. Voilà ce qui arrivera, répéta-t-il avec un rire forcé, voilà à quoi cela mène, un ministre comme le baron Dahl, qui ne se soucie pas plus des enfants dont il est responsable que de chiens !

Je ne dis rien.

— Cela peut lui coûter cher, murmura rêveusement Courilof.

J'en demandai la raison, et Courilof, de nouveau, se mit à rire, me tapa sur l'épaule de sa large main, qui avait conservé une vigueur peu commune.

— Ça vous intéresse, hein ! ces histoires ? Vous ne comprenez pas ? Vous ne comprenez pas, vraiment ? répéta-t-il (il paraissait s'amuser énormément). Croyez-vous que l'Empereur aimera voir des cadavres sous Ses fenêtres ? Ce sont des choses que l'on supporte parfaitement lorsqu'elles se passent loin de vos regards... (il fronça brusquement les sourcils, rappelé sans doute à des pensées importunes), mais non pas devant soi, dans sa maison. Connaissez-vous le mot que l'on prête à l'Empereur Alexandre Ier ? « Les princes aiment à l'occasion le crime, mais rarement ceux qui l'exécutent. » Joli ? Sans compter la presse, qui, quoique convenablement muselée chez nous, Dieu merci, a une certaine force.

Il s'approcha de sa femme, lui prit le bras :

— Allons, ma chère, je suis bien content de ne plus risquer, pour ma part, de ces ennuis-là, dit-il en français, d'un ton qu'il s'efforçait de rendre léger et indifférent. Ma foi, voilà qui me remet d'aplomb ! Je l'avoue, je me laissais aller sottement à une sorte de spleen. Dès la semaine prochaine, nous partons pour Vevey, ma chère. Cultivons notre jardin... Vous vous rappelez les mouettes sur le lac ? A moins que...

Et il tomba dans une rêverie profonde.

— Ces pauvres petits ! dit-il brusquement, d'un air pensif et sombre ; voilà bien des âmes innocentes dont *ils* auront à répondre devant Dieu.

Il resta longtemps silencieux, prit, en soupirant, Marguerite Eduardovna par la main :

— Montons, chérie...

A ce moment, on entendit un coup de sonnette en bas. Il tressaillit ; il était près de minuit. Un domestique revint, disant qu'un petit groupe d'hommes, qui ne voulaient pas dire leurs noms, demandaient instamment à le voir. Sa femme commença à le supplier de ne pas les recevoir.

— Ce sont des anarchistes, des révolutionnaires, répétait-elle avec agitation.

— Prenez-moi avec vous, dis-je à Courilof. A deux, et les domestiques à portée de la voix, vous ne risquez rien.

Il accepta, sans doute pour tranquilliser sa femme : je connaissais son tranquille et naturel courage. D'ailleurs, il se doutait de quelque chose d'anormal, et la curiosité le poussait. Quoi qu'il en soit, il acquiesça. On fit entrer les visiteurs en bas, dans la chancellerie vide. Ils s'excusèrent d'être venus à une heure aussi tardive, sans avoir demandé d'audience. C'était une députation des professeurs des lycées impériaux ; ils étaient pâles et tremblants ; ils se tenaient en un groupe serré près de la porte et semblaient craindre d'avancer, pétrifiés par le seul regard, lourd et fixe, du Cachalot. Et lui, mon Courilof, se redressait, plastronnait. Il laissait retomber sur la table, du geste qui lui était habituel, sa large main, puissante, blanche, ombrée de roux, avec la grande pierre, le grenat rouge qui accrochait la lumière et répandait une sanglante lueur.

Les professeurs étaient vieux, tremblants. Ils dirent

qu'ils étaient venus empêcher de grands malheurs. Le ministre de l'Instruction Publique avait refusé de les recevoir. Un léger sourire méprisant flotta sur les lèvres de Courilof... Ils venaient prier Son Excellence de bien vouloir prévenir Dahl, son obligé, disait-on, son ancien collègue, son ami. (Ils ne savaient pas que Dahl avait soufflé la place de Courilof; en ville, la thèse officielle était que Courilof avait dû se retirer pour des raisons de santé; les secrets des dieux étaient précieusement gardés : les gens bien en cour connaissaient naturellement l'histoire dans tous ses détails, mais les professeurs des lycées n'étaient pas bien en cour.) Ainsi que Courilof me l'avait dit, une députation de jeunes gens avait décidé de venir présenter une requête à l'empereur, lui demander la grâce des ouvriers grévistes déportés; les professeurs craignaient que l'on ne tirât sur les enfants, en les prenant pour des émeutiers. (Ainsi, deux ans plus tard, devaient également périr les ouvriers menés par G... devant le Palais d'Hiver.)

A mesure qu'il les écoutait, Courilof devenait de plus en plus blême et muet. Il y avait dans les silences de cet homme une force extraordinaire; il semblait figé en un bloc de glace.

— Que puis-je faire, messieurs ? prononça-t-il enfin.

— Prévenir le baron Dahl. Il vous écoutera. A la rigueur, priez-le seulement de nous recevoir. Vous empêcherez des effusions de sang, de graves malheurs.

Ils ne comprenaient pas que mon Courilof n'avait qu'une idée en cet instant : c'était de saisir l'occasion offerte par le sort de jeter son successeur dans un embarras inextricable, afin de lui rendre, d'abord, la monnaie de sa pièce, et, secondement, d'apparaître lui-même, plus tard, au moment opportun, en sauveur et défenseur de la monarchie. Je croyais lire dans sa pensée. Je ne sais pourquoi, je m'imaginai qu'il devait prononcer mentalement en latin, comme il aimait à le faire, *deus ex machina*.

— Je ne puis faire cela, messieurs : ce que vous me demandez est parfaitement incorrect. Je suis éloigné des affaires publiques, non par raison de santé, comme vous le croyez, mais par la volonté de l'Empereur. Allez vous-même chez le baron Dahl. Insistez.

— Mais il ne nous a pas reçus !

— Alors, messieurs, que voulez-vous ?... Je ne puis rien.

Ils l'implorèrent. L'un d'eux était un vieil homme pâle, en redingote noire. Brusquement, il se pencha et (je le vois encore) saisit la main de Courilof, la baisa.

— Mon fils est un des meneurs, Excellence, sauvez mon fils !

— Il ne fallait pas le laisser se fourrer là-dedans, dit Courilof de sa voix glacée et métallique. Rentrez chez vous et enfermez votre fils.

Le vieil homme eut un geste de désespoir :

— Vous refusez ?

— Messieurs, je ne puis intervenir, je le répète, cela ne me regarde pas.

Ils se concertèrent à voix basse, puis ils commencèrent à parler tous à la fois, à supplier cet homme immobile. L'un d'eux dit d'une voix tremblante :

— Ce sang retombera sur vous.

— Ce ne sera pas le premier, dit Courilof, avec son pâle sourire ; ce ne sera pas la première fois qu'on me rendra responsable du sang que je n'ai pas versé.

Ils partirent.

Le lendemain, avant d'avoir pu arriver à franchir la grille du Palais d'Hiver, les trente jeunes gens furent arrêtés par les troupes. Lorsqu'on voulut les disperser, quelqu'un saisit un cheval par la bride. Le cosaque, sentant son cheval se cabrer sous lui, se crut attaqué et tira. Les jeunes gens ripostèrent à coup de pierres ; la foule prit violemment parti pour eux et une grêle de pierres s'abattit sur les grilles de bronze, sur les aigles impériales qui les surmontaient. Le colonel donna l'ordre d'ouvrir le feu. Quinze hommes furent tués, des lycéens et des passants (parmi les premiers, le fils du vieux bonhomme qui était venu implorer Courilof), sous les fenêtres mêmes de l'empereur. Quinze malheureux, qui, par le scandale de leur mort, débarrassèrent Courilof de Dahl et lui rendirent plus tard le poste de ministre de l'Instruction Publique.

XXV

Naturellement, cela ne se fit pas immédiatement, et moi-même, longtemps, je ne sus rien.

La semaine suivante, Courilof partit avec sa famille pour le Caucase, où je les suivis.

Leur maison était bâtie non loin de Kislovodsk, aux portes mêmes de la ville. Du grand balcon de bois qui l'entourait, on découvrait les premiers contreforts des montagnes. Tout cela d'une grande beauté, mais aride, nu, planté de place en place de sombres cyprès ; le reste n'était que pierres et torrents. Dans le jardin, s'épanouissaient des rosiers sauvages, tordus, hérissés d'épines et dont les fleurs parfumaient l'air, le soir, comme ici ; elles poussaient en bouquets, sous les fenêtres.

L'air était trop vif pour moi ; je toussais sans arrêt.

Un jour, Dahl arriva. Il semblait parfaitement calme. Il nous annonça qu'il venait faire une saison aux eaux de Kislovodsk et que, dès son arrivée, il était immédiatement venu voir « son cher ami ». A table et devant nous tous, il dit ouvertement que l'histoire du mois d'août lui avait fait le plus grand tort.

— Une fois de plus, « on » a trouvé le bouc émissaire, dit-il en souriant, et, cette fois-ci, c'est votre serviteur.

(Les mots : « on », « qui vous savez », « qui de droit », désignaient la famille impériale et les grands-ducs. Mon Courilof en faisait également grand usage.)

— C'est une malheureuse histoire, ajouta Dahl en haussant les épaules avec une indifférence probablement feinte, d'ailleurs, car il avait eu, lui aussi, le plaisir de faire ramasser les cadavres à la nuit tombée, et j'avais remarqué qu'ils étaient tous de glace lorsque cela se passait derrière eux ; mais voir de leurs yeux et toucher de leurs mains des enfants massacrés était différent. Si j'avais seulement pu savoir ce qu'ils complotaient... On dit que la ville entière en était informée ; quant à moi, je l'ai su le dernier. C'est toujours ainsi. Enfin, voilà !... L'Empereur a daigné me prier de donner ma démission. Sa Majesté, dans Sa grande bonté, a daigné me promettre un poste au Sénat, et, également, a bien voulu me demander mon avis, à moi, indigne, pour la nomination éventuelle de mon successeur. D'autre part, mettant un comble à Ses bontés, Elle a daigné faire nommer mon fils secrétaire d'ambassade à Copenhague. Cette ville n'a plus l'importance qu'elle a eue de notre temps, Valerian Alexandrovitch, mais le Couple Impérial y va encore assez souvent pour que ce poste soit considéré comme enviable : il fait bon se trouver partout où le soleil étend ses rayons, si vous me permettez cette métaphore.

Il ne dit plus rien, et la conversation changea.

Après le déjeuner, les deux ex-ministres se retirèrent dans le cabinet de travail de Courilof, où ils restèrent longtemps. Frœlich me fit remarquer la figure inquiète d'Irène Valerianovna.

— Je pense, me glissa-t-il, que le vieux renard est venu négocier le mariage de Mlle Ina et de son fils.

Le soir, Dahl dîna, fut très gai, baisa plusieurs fois,

avant de se retirer, la main de la jeune fille. C'était inhabituel et dénonçait clairement ses intentions. Quand il fut parti, Courilof fit appeler Irène Valerianovna, mais elle était remontée dans sa chambre. Ce fut le lendemain matin, et en ma présence, car j'étais censé ignorer le russe, que Courilof parla à sa fille.

Toute la nuit, il s'était plaint de fortes douleurs ; au matin, quand elle entra lui souhaiter le bonjour, il la retint.

— Ina, dit-il avec solennité, le baron Dahl me fait l'honneur de demander ta main pour son fils. Il en avait été question l'année dernière...

Elle l'interrompit.

— Je sais, dit-elle à voix basse, mais je ne l'aime pas...

— De hautes considérations sont en jeu, mon enfant, dit Courilof de son ton le plus pompeux.

— Je sais que Dahl ne veut que ma dot pour son fils, et que vous-même...

Il rougit brusquement, frappa de son poing la table avec colère.

— Cela ne te regarde pas. Tu seras mariée, riche et libre, que veux-tu de plus ?

— N'est-ce pas, demanda-t-elle sans paraître l'écouter, c'est bien cela ? Vous voulez faire alliance avec le baron ? Sans doute a-t-il promis de vous faire rendre ce malheureux poste de ministre, si je consens ? C'est cela, n'est-ce pas ?

— Oui, dit Courilof, tu n'es pas bête, tu as compris. Mais pourquoi crois-tu que je le désire, ce poste ? continua-t-il, et j'aurais pu jurer qu'il était sincère ; c'est une croix qui m'accable, me pousse au tombeau, car je suis malade, je suis très malade, mon enfant, mais je dois rendre service jusqu'à mon dernier souffle, dans la mesure de mes forces, à l'Empereur, à mon pays et à ces malheureux enfants dévoyés que les révolutionnaires entraînent à leur perte. Je dois les surveiller, les châtier, s'il le faut, mais comme un père et non comme un ennemi, non comme Dahl qui les a menés à la mort par sa coupable négligence. Et il est bien vrai que, pour prix de cette alliance, le baron m'a promis de m'aider. L'Empereur l'a en très haute considération, et seule l'opinion publique, après cette malheureuse histoire, a pu Le forcer à se séparer de lui. Certes, Dahl joue un rôle peu brillant, continua-t-il avec dégoût, mais que Dieu le juge... Pour moi, j'ai la conscience tranquille. D'ailleurs, la famille des Dahl est honorable, elle a souvent été alliée à la nôtre... Il est naturel de vouloir augmenter son bien par de riches mariages... et, enfin, ma pauvre enfant, l'amour...

Il s'interrompit : involontairement, il avait employé le français comme à son ordinaire, surtout lorsque la conversation touchait des sujets délicats ou élevés... Il fronça les sourcils, se tourna vers moi :

— Laissez-nous, mon cher monsieur Legrand, excusez-moi.

Je sortis.

Le soir même, Courilof prit sa fille par le bras, et ils allèrent s'asseoir dans une allée écartée. Quand ils revinrent, il semblait content, il avait repris sa figure solennelle ; sa fille, très pâle, souriait d'un air ironique et triste.

La nuit, je sortis sur le balcon. Irène Valerianovna était assise sans bouger, la tête dans ses mains. La lune était brillante, et je voyais nettement le peignoir blanc de la jeune fille et ses deux bras nus posés sur la balustrade. Elle pleurait. Je compris qu'on avait obtenu son consentement et que les choses changeraient, ce qui ne manqua pas d'arriver.

Peu de temps après, les fiançailles furent rendues officielles. Enfin, un matin, Courilof, les mains tremblantes, décacheta à table un paquet qui contenait, comme je le vis, une petite photographie de l'impératrice et de deux de ses enfants, gage suprême de réconciliation. Courilof suspendit l'image, au-dessus de sa table de travail, immédiatement sous l'icône, dans un cadre d'or.

Il ne restait plus qu'à attendre un télégramme de l'Empereur, annonçant à Courilof qu'il lui rendait le poste de ministre, puisque sa santé allait désormais lui permettre de reprendre ses fonctions, et nous l'attendîmes, en effet, tous, avec des sentiments divers. Le télégramme arriva au milieu du mois de septembre. Courilof le lut à toute sa famille assemblée, fit un large signe de croix et dit, avec des larmes dans les yeux :

— Encore une fois, tombe sur mes faibles épaules le fardeau du pouvoir, mais Dieu m'aidera à le porter.

XXVI

J'éprouvais un sentiment étrange : j'étais atterré et, en même temps, j'appréciais à sa valeur la forte et amère farce que le destin nous jouait.

La date du retour approchait ; tous les jours, Courilof paraissait plus joyeux et en meilleure santé. Le temps était beau, doré. Moi-même, j'avais fini par m'accoutumer à l'air des montagnes, et, par moments, je ressentais une sorte d'engourdissement et d'apaisement, comme à d'autres moments j'étais tellement las de tout au monde que j'avais envie de me casser la tête contre les rochers..., de beaux rochers rouges, je me le rappelle, comme ceux d'ici...

Un soir, je pris mon parti. J'annonçai que j'étais rappelé en Suisse d'une façon urgente, que mon départ était fixé pour le lendemain, et je demandai un entretien au ministre.

A cette heure-là, quand le dîner finissait (il était près de huit heures et le soleil se couchait), Courilof avait l'habitude de marcher avant le thé du soir. Il suivait l'allée devant la terrasse et, de là, montait le long d'un petit sentier entre les pierres. Je l'accompagnai.

Je me rappelle le bruit que faisaient les pierres roulant sous nos pas ; elles étaient rondes et polies comme des œufs et d'un ton rouge, reflet du soleil couchant. Par contraste, le ciel avait une teinte violette et, dans cette lumière éclatante et morne, le visage de Courilof prenait une expression étrange.

En haut, les torrents coulaient, retombaient avec fracas sur les pierres et rebondissaient avec leur bruit forcené et vain. Nous les dépassâmes, montant plus haut encore, et là je dis que je partais et que j'avais mûrement réfléchi ; je croyais de mon devoir de médecin de lui révéler qu'il était plus gravement malade qu'il ne le croyait sans doute. Je pensais qu'il se soignerait davantage, renoncerait à toute vaine activité et, de cette façon, vivrait plus longtemps.

Il m'écouta, sans qu'un muscle de sa figure bougeât, et, quand j'eus fini, il me lança un regard que je vois encore, profond et calme :

— Mais, mon bon monsieur Legrand, je sais bien. Mon père est mort d'un cancer au foie, vous pensez bien...

Il se tut, soupira, dit (et, insensiblement, sa voix simple et sincère redevint solennelle et ronflante) :

— Nul bon chrétien ne craint la mort s'il a accompli son devoir sur cette terre. Je compte bien remplir les quelques années qui me restent à vivre avant de m'endormir en paix.

Je demandai si j'avais bien compris, s'il ne résignerait pas ses fonctions, sachant à présent ce qu'il savait. Je m'étais de tout temps douté, ajoutai-je, qu'il voyait clair dans sa maladie, malgré les affirmations de cet imbécile de Langenberg, mais savait-il qu'un cancer du foie est une maladie à évolution rapide, qu'il s'agissait de mois, d'un an, au plus ?

— Sans doute, fit-il en haussant les épaules, je m'en remets à la volonté de Dieu.

— Je pense, dis-je, que, lorsqu'un homme regarde la mort en face, pour la tranquillité de son cœur, il vaut mieux renoncer à toute activité malfaisante.

Il tressaillit :

— Malfaisante ! Seigneur ! Ma seule consolation est en elle ! J'ai la garde sacrée des traditions de l'Empire ! Je puis dire, comme Auguste mourant : *Plaudicite amici, bene agi actum vitæ !*

Il pouvait continuer longtemps sur ce thème. Il ne s'en fit pas faute... Je l'interrompis. Je tâchai de donner à mes paroles l'accent le plus simple, le plus ironique possible.

— Valerian Alexandrovitch, n'est-ce pas terrible ? Vous savez bien que votre activité a causé la mort d'êtres innocents, en causera encore. Je ne suis pas un homme d'Etat. Je voudrais savoir si cela ne vous empêche jamais de dormir ?

Il demeura silencieux. Comme le soleil était couché, je ne voyais plus ses traits. Cependant, comme je le regardais de très près, avec une attention passionnée, je distinguai le mouvement qu'il fit en inclinant la tête sur son épaule. Ainsi, il semblait un bloc obscur de pierre.

— Toute activité, toute lutte, engendrent la mort. Si l'on est sur cette terre, c'est pour agir et détruire. Mais, quand on obéit à des mobiles supérieurs...

Il s'interrompit et, brusquement, – je crois que c'était cette franchise, ces éclairs de sincérité qui le rendaient si attachant et si irritant, – il dit d'une voix différente, avec une inflexion de tristesse et de douceur :

— Il n'est pas facile de bien vivre...

Il se leva, jeta par-dessus son épaule

— Nous descendons ?

Nous refîmes le chemin en silence. D'ailleurs, l'obscurité était épaisse et il fallait prendre garde aux pierres et aux petites ronces basses qui accrochaient les vêtements. Devant la maison, il me serra la main :

— Adieu, monsieur Legrand, bon voyage ; nous nous reverrons encore, j'espère.

Je dis que tout était possible, et nous nous séparâmes.

Or, au petit matin, je fus réveillé par un bruit de pas dans le jardin et de voix étouffées. Je me penchai et, à travers les lattes de bois de la fenêtre, je vis mon Courilof avec une espèce de policier facilement reconnaissable malgré son déguisement. Je me rappelai l'avoir vu plusieurs fois accompagner le ministre quand ce dernier allait présenter ses rapports à l'empereur. Je compris que Courilof me faisait filer. Selon son habitude, il s'y prenait avec peu d'habileté ; mais ce fut le seul, l'unique moment de nos relations où je compris tout à coup la véritable haine. De voir cet homme, sûr de lui, puissant, tranquille, dans son jardin, qui, d'un mot, pouvait me faire traquer comme une bête, enfermer et pendre, je compris qu'en certains cas il est facile de tuer de sang-froid. En cette minute, je lui aurais envoyé un coup de revolver, en pleine figure, avec un sentiment de délice.

En attendant, il fallait fuir ; ce que je fis. Je pris le train, ostensiblement, pour Pétersbourg, suivi du policier, et, à la nuit, je descendis à une des petites stations de montagne. De là, je gagnai la frontière persane. Je restai quelques jours en Perse ; j'échangeai mon passeport suisse contre des pièces d'identité que me délivrèrent les représentants du groupe révolutionnaire de Téhéran, au nom d'un marchand de tapis du pays, et, dans les derniers jours de septembre, je rentrai en Russie.

XXVII

J'arrivai à Pétersbourg et j'allai directement chez Fanny ; elle m'installa dans sa chambre et partit. J'étais fatigué, à la dernière limite des forces. Je me jetai sur son lit et je m'endormis aussitôt.

Je me souviens d'avoir rêvé, ce qui m'arrivait rarement. Mon rêve était très beau, très innocent ; il semblait venir du fond d'une apocryphe enfance, car je me voyais jeune, beau, plein de santé, tel enfin que je n'avais jamais été, sur un pré fleuri éclairé par le soleil ; et, le plus bizarre c'est que les enfants qui m'entouraient étaient Courilof, le prince Nelrode, Dahl, Schwann et l'inconnu de Vevey. A la fin, cela devint un cauchemar pénible et inexprimablement grotesque, car leurs visages changeaient et devenaient vieux et las, tandis qu'ils jouaient et couraient comme auparavant.

Quand je me réveillai, je vis Fanny entrer dans la chambre, suivie du *camarade* que je connaissais. Mais il n'avait pas la tranquillité magnifique de la première fois : il paraissait inquiet et irrité. Il me prévint que la police était alertée, qu'on me recherchait déjà, que j'étais tenu à toutes les précautions. Je le laissai parler. J'étais arrivé à un degré d'exaspération tel que j'eus, je crois, envie d'en finir avec lui en même temps qu'avec Courilof.

Il me regardait d'une manière bizarre, et je suis convaincu que, les jours suivants et jusqu'au moment de l'attentat, il me fit suivre. Ses hommes étaient plus habiles que les mouchards de Courilof et, dès que je mettais le pied dehors, je les sentais dans mon dos.

Octobre était venu, la nuit commençait tôt, il était relativement facile de s'échapper au coin d'une rue. La neige ne tombait pas encore, mais l'air avait cette lourdeur glacée particulière à l'automne russe ; dès le matin, les lampes étaient allumées dans les maisons. Un brouillard d'eau, de neige, s'élevait à faible hauteur ; le sol était gelé, sonore. Triste temps... Je passais des heures dans la chambre que Fanny m'avait abandonnée, couché sur le lit. Je crachais le sang, j'avais le goût et l'odeur du sang dans ma bouche et mon corps.

Je ne voyais plus Fanny ; il était entendu qu'elle viendrait chez moi, la veille de l'attentat, pour les derniers ordres, car c'était elle qui devait préparer les bombes et me les remettre. Le « camarade », que je rencontrai encore une fois, me donna l'heure exacte, onze heures trois quarts. Il ne pouvait être question de pénétrer dans le théâtre même, où l'on n'entrait que sur invitations, mais il fallait attendre sous le péristyle.

— Si vous n'aviez pas été découvert, me dit-il aigrement, c'était tellement simple ! Vous obteniez de Courilof une place dans le théâtre, et à l'entr'acte, vous entriez dans la loge et vous le tuiez d'un coup de revolver ! Tous ces mois de filatures perdus ! Maintenant, avec vos sales bombes, vous risquez de démolir, pour un Courilof, vingt innocents.

— Je m'en fous, lui dis-je.

Rien ne m'avait jamais semblé aussi ridicule que

leurs demi-mesures, et quand il me dit : « Quoi ! si Courilof se trouve dans une voiture avec sa femme et ses enfants, vous lancerez votre bombe ? » je dis que oui, et j'imagine que j'aurais pu le faire. Quelle différence ? Mais je vis qu'il ne me croyait pas. Il acheva :

— Enfin, camarade, cela n'arrivera pas. Il sera seul avec les laquais.

Ceux-là, évidemment, ne comptaient pas...

— Eh bien, adieu ! fit-il.

Il s'en alla.

Ce fut le soir suivant. Fanny m'accompagnait. Nous portions des bombes nouées dans des châles et enveloppées de papier d'emballage. Nous ne parlions pas. Nous allâmes nous asseoir dans un petit square, en face du théâtre Marie. Il était brillamment illuminé. Une longue file de policiers, des voitures, attendait dans la rue.

Le square était désert. Le ciel était bas et sombre ; une neige rare et légère volait dans l'air, se transformait, dès qu'elle touchait le sol, en pluie, en petites aiguilles glacées qui piquaient la peau.

Fanny montrait de la main les voitures immobiles.

— La cour, le corps diplomatique, les voitures de la suite allemande, des ministres, disait-elle à voix basse, avec une sourde exaltation.

La nuit était d'une longueur morne, épouvantable. Vers onze heures, le vent tourna, une neige épaisse commença à tomber. Nous changeâmes de place : nous étions glacés. Nous fîmes deux fois le tour du petit square.

Nous nous trouvâmes brusquement devant un être, surgi de l'ombre, qui nous regardait. Fanny se serra contre moi et je l'embrassai. Rassuré, nous prenant pour des amoureux, le policier disparut. Je tenais Fanny dans mes bras ; elle levait les yeux vers moi, et je me souviens que, pour la première fois, dans ces yeux cruels, je vis briller une larme.

Je la laissai. Nous recommençâmes à marcher en silence. Je toussais. Le sang me venait à flots dans la bouche. Je crachais, je toussais encore, le sang ruisselait sur mes mains. J'avais envie de me coucher dans la neige et de crever là.

Les voitures commencèrent à avancer. On entendait le bruit des portes repoussées qui battaient à l'intérieur du théâtre, les coups de sifflet des agents.

Je traversai la rue. Je tenais une bombe à la main, comme une fleur. C'était grotesque. Je ne comprends pas comment je ne fus pas vu et arrêté. Fanny me suivait. Nous nous arrêtâmes près du péristyle, sous les colonnes chargées de neige, entre les rangs de la foule.

Les portes s'ouvrirent. Tous sortaient. L'empereur, la famille impériale, Guillaume II et sa suite étaient déjà partis.

Je vis passer des femmes en pelisse, les bijoux brillaient sous leurs mantilles légères, parsemées de flocons de neige, des généraux, qui raclaient le sol gelé de leurs éperons, d'autres encore, des visages inconnus, les vieux gâteux du corps diplomatique, d'autres têtes encore... Courilof. Il tournait son visage vers moi ; il était pâle et vieilli ou la lumière tombant des lampadaires creusait-elle ainsi ses traits ? Il avait une expression lasse et abattue, de grandes poches sombres sous les yeux. Je me tournai vers Fanny, et je dis :

— Je ne peux pas le tuer.

Je sentis qu'elle m'arrachait la bombe des mains. Elle fit deux pas en avant et la lança.

Je me souviens d'une confusion de visages, de mains, d'yeux, qui tournaient devant moi et disparaissaient, d'un éclatement, d'un bruit et d'une lumière d'enfer. Nous n'étions pas blessés, mais nous avions la figure lacérée, les vêtements brûlés, les mains en sang. Je pris Fanny par la main, et nous courûmes, nous courûmes, comme des bêtes forcées, dans les rues sombres. Des gens couraient en tous sens, nous heurtaient. Quelques-uns avaient, comme nous, les vêtements en lambeaux et les mains ensanglantées. Un cheval blessé poussait des hennissements de douleur tels qu'ils me glaçaient le sang. Quand nous nous arrêtâmes, nous étions au milieu d'une place, et la foule grondait autour de nous. Je vis que nous étions perdus. J'éprouvai un sentiment de soulagement. Ce fut là qu'on nous arrêta.

Plus tard, nous nous trouvâmes, Fanny et moi, dans une chambre voisine de celle où l'on alignait les cadavres. Nous étions gardés à vue, mais, dans cette confusion et cette épouvante, on n'avait pas songé à nous séparer.

Fanny éclata brusquement en sanglots. J'eus pitié d'elle. J'avais déjà dit, comme il était juste de le faire, que la bombe avait été lancée par moi : si elle ne me l'avait pas saisie des mains, j'aurais bien fini par la lancer... Cela... c'était le plus facile... Enfin, comme je l'ai dit, il me semblait que mes poumons se vidaient de sang, et j'étais convaincu que, si on me laissait seulement fermer les yeux et demeurer immobile, je mourrais, et j'attendais ce moment avec une impatience douloureuse.

Je m'approchai de Fanny, lui mis une cigarette dans la main et dis à voix basse :

— Vous n'avez rien à craindre.

Elle secoua la tête.

— Ce n'est pas cela, ce n'est pas cela... Mort ! Mort ! Il est mort !..

— Mais qui donc ? demandai-je sans comprendre.

— Mort ! Mort ! Courilof ! Et c'est moi qui l'ai tué !...

Cependant, l'instinct de la vie était encore puissant en elle. Quand les policiers, attirés par ses cris, s'approchèrent, elle répéta :

— Mort ! Et c'est nous qui l'avons tué !...

Ce qui fait qu'elle fut condamnée à la déportation à vie, et moi à être pendu.

Mais il ne faut pas compter sur la mort plus que sur la vie. Je suis là encore... Le diable seul sait pourquoi... Elle, plus tard, s'évada, prit part à un second attentat. Ce fut elle qui, en 1907 ou 1908, tua P... Elle fut prise et, cette fois-là, dans sa cellule, se pendit. Moi... Mais je l'ai déjà raconté. La vie est stupide. Heureusement, pour moi, du moins, le spectacle est bientôt terminé.

Dans la collection
Les Cahiers Rouges

(Dernières parutions)

Jules Barbey d'Aurevilly.	*Les Quarante médaillons de l'Académie*
Yves Berger	*Le Sud*
André Brincourt	*La Parole dérobée*
Blaise Cendrars	*Hollywood, la mecque du cinéma*
Paul Cézanne	*Correspondance*
Jacques Chardonne	*Propos comme ça*
Edmonde Charles-Roux	*Stèle pour un bâtard*
Pierre Combescot	*Les Filles du Calvaire*
Dominique Fernandez	*Porporino ou les mystères de Naples*
Francis Scott Fitzgerald	*Gatsby le magnifique*
Jean Giraudoux	*Adorable Clio* ■ *Lectures pour une ombre*
Pascal Jardin	*Guerre après guerre suivi de La guerre à neuf ans*
Alfred Jarry	*Les Minutes de Sable mémorial*
Rudyard Kipling	*Souvenirs de France*
Luigi Malerba	*Saut de la mort*
Clara Malraux	*...Et pourtant j'étais libre*
Klaus Mann	*La Danse pieuse* ■ *Symphonie pathétique*
André Maurois	*Ariel ou la vie de Shelley* ■ *Choses nues* ■ *Don Juan ou la vie de Byron* ■ *René ou la vie de Chateaubriand* ■ *Tourguéniev* ■ *Voltaire*
Paul Morand	*Rococo*
Annie Proulx	*Cartes postales* ■ *Nœuds et dénouement*
André de Richaud	*L'Amour fraternel* ■ *La Fontaine des lunatiques*
Daniel Rondeau	*L'Enthousiasme*
Sainte-Beuve	*Mes chers amis...*
Alexandre Soljenitsyne	*L'Erreur de l'Occident*
Roger Stéphane	*Chaque homme est lié au monde*
Paul Theroux	*Patagonie Express* ■ *Railway Bazaar*
Roger Vailland	*Le Regard froid*
Giorgio Vasari	*Vies des artistes*

Cet ouvrage a été imprimé par

FIRMIN DIDOT

GROUPE CPI

Mesnil-sur-l'Estrée

pour le compte des Éditions Grasset
en novembre 2007

Imprimé en France

Première édition, dépôt légal : février 2005
Nouveau tirage, dépôt légal : novembre 2007
N° d'édition : 15090 - N° d'impression : 87701